América
DEL SUR
Océano
Atlántico
Océano
Pacífico
Río de Janeiro
Asunción
Río Paraná
URUGUAY
Montevideo
Buenos
Aires
PAMPAS
ARGENTINA
LOS ANDES
CHILE
Santiago
DESIERTO DE AT
Annaud
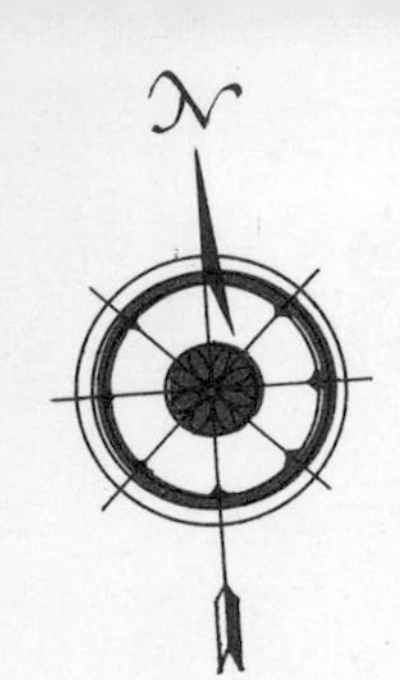
N

THE SPIRIT OF SPANISH AMERICA

A Cultural Reader
Including Simplified Selections
from Outstanding Spanish American Writers

MARIO B. RODRÍGUEZ
UNIVERSITY OF ARIZONA

APPLETON-CENTURY-CROFTS, INC.
NEW YORK

6111-5

Library of Congress Card Number: 57-6847

ACKNOWLEDGMENT: To Harper & Brothers for permission to reprint excerpt from *La vorágine* by José Eustasio Rivera.

PRINTED IN THE UNITED STATES OF AMERICA

PREFACE

The *Spirit of Spanish America* is an elementary text which presents highlights of Spanish American civilization as interpreted by those who know it best: its own writers. A brief discussion of each topic in English, introducing a certain phase of the culture of the Spanish-speaking countries of the New World, is followed by an appropriate selection adapted from the work of an outstanding Spanish American writer. The text has been simplified for easier reading, but care has been taken to retain the correctness of the language and to preserve as far as possible each author's style.

This reader is suggested for students beginning the second college year of Spanish, but is simple enough for use as soon as the student has a knowledge of the minimum essentials of grammar. The assumed vocabulary has been limited to words and idioms included in the first 1,000 of Keniston's *Standard List of Spanish Words and Idioms* and a certain number of words similar to English in form and meaning. Other words and idioms, as well as expressions which might present unusual difficulty for the student, have been translated in the footnotes on first occurrence. Irregular verb forms are listed separately in the vocabulary.

Practice in conversation, composition and the use of everyday expressions found in the text is provided by exercises for each selection. An English-Spanish vocabulary has been included as an aid in translating into Spanish.

The author wishes to thank the writers who so generously granted permission to include their work. He is especially grateful to the late Professor Joseph W. Barlow for his encouragement during the preparation of this book and his patient work in going over the text, and to Professor Lawrence Kiddle of the University of Michigan, who read the text and offered many valuable suggestions.

M. B. R.

TABLE OF CONTENTS

ILLUSTRATIONS

THE DREAM OF A NEW WORLD

Toward the end of the fifteenth century, glowing accounts of early travelers who, like Marco Polo, had made the long and hazardous overland journey to the fabulous Orient began to fire the imagination of Europeans. The capture of Constantinople by the Turks in 1453 had intensified the need for a new route, and European navigators and scientists began studying the possibility of reaching the rich lands of the Orient by sailing directly west. But the idea of attempting to cross the vast unknown ocean in the small sailing ships of the time seemed sheer madness. Arguments about the feasibility of such a voyage went on for years, much as a trip to the moon might be debated today.

Spain, which in 1479 had become a unified nation under its joint sovereigns, Ferdinand and Isabella, succeeded at last in the seven-century struggle to reconquer the country from the Moors. She now turned her eyes westward to the ocean beyond which lay lands whose discovery might bring wealth and glory to the country, if only a way could be found to reach them.

Unsuspected by those who dreamed of the marvelous riches of the Orient, a new world with greater opportunities awaited the men whose faith and determination would lead them to venture forth across the uncharted seas. In the new environment, Spanish civilization was destined to take root and flourish, creating the new spirit, hopes, and ideals of Spanish America.

Descubrimiento[1]

Comenzaremos como un cuento.[2] Porque la historia que voy a contarles es tan bella, tan maravillosa como un cuento.

Una vez había un hombre sin patria.[3] Era hijo de un tejedor.[4] Y el hijo continúa la profesión de su padre; pero en
5 vez de tejedor de lana,[5] se hace tejedor de sueños. El hombre no tenía patria, o tenía todas las patrias. Porque los grandes hombres son ciudadanos[6] del mundo. Y por eso soñó con[7] una patria mayor, la patria de todos los hombres.

El hombre de mi cuento tenía un alma tan grande que no
10 cabía entre las cuatro paredes de Europa, y quería partir a un nuevo mundo. Es decir, el sueño de ese hombre era partir, descubrir.

Y como se había casado con la hija de un navegante,[8] su mujer le regaló los papeles de su padre. Y ellos hablaban de
15 otras tierras, de otras rutas; de otros mares que llegaban a tierras donde crecían verdes palmas.

Y así, soñó un día que detrás del mar había otro mar y otro mar, y detrás de todos esos mares había una tierra, con sus árboles de incienso y sus torres[9] de porcelana con cam-
20 panillas[10] de plata que sonaban en la brisa. Es decir, soñó con las famosas tierras del Oriente que ya había conocido Marco Polo. Y soñó con ir allá. Y no en un camello, sino en una carabela.[11] Por eso el viejo marinero pasaba días enteros frente al mar, mirando fijamente el horizonte.

25 Y este hombre, este tejedor de sueños, contó su sueño a los reyes del tiempo. Y les pidió una carabela para ir a buscar

[1] **descubrimiento** discovery
[2] **cuento** story, tale
[3] **patria** country; fatherland
[4] **el tejedor** weaver
[5] **lana** wool
[6] **ciudadano** citizen
[7] **soñar con** to dream about
[8] **el navegante** navigator
[9] **la torre** tower
[10] **campanilla** little bell
[11] **carabela** caravel, sailing ship

esas tierras maravillosas que estaban allá detrás del mar, detrás de lo imposible, detrás de la duda de todos los hombres tímidos y pequeños. Les dijo que estaba seguro que por mar llegaría al Oriente.

Pero los reyes lo escucharon con una sonrisa[12] de duda. Porque entonces hasta los reyes creían que el viaje era imposible. Y lo llamaron loco.

Y de andar tanto de corte en corte,[13] contando su sueño a los reyes que se reían de él, el marinero se hizo pobre. Su mujer, la hija del navegante, había muerto. Sólo le quedaba[14] un hijo. Y un día, andando y andando con el hijito, se encontró ante la puerta de una casa grande y vieja, con muchos árboles y flores. Llamó a la puerta. Entonces salió a recibirlo un fraile[15] simple, con una sonrisa alegre.

—Este niño tiene hambre[16]—dijo el marinero,—y yo tengo frío y sueño.

—Bienvenido a esta casa—le respondió el fraile.—Nuestro Padre San Francisco[17] te dará protección.

Y el marinero se quedó en la casa franciscana. Un día les contó a los frailes el cuento de las tierras con torres azules y árboles de dulces aromas que estaban más allá[18] del mar, más allá de la sonrisa de los reyes. Todos los hermanos de San Francisco sonrieron también, porque eran frailes simples y porque estaban muy contentos con su casa grande y vieja, con sus pájaros[19] y sus oraciones. Todos sonrieron; con la excepción de uno que se llamaba Juan Pérez. Él fué con el cuento a la Reina.[20] Porque fray Juan Pérez era confesor de la Reina de España.

La Reina le dijo al viejo fraile:

—¿Qué debo hacer?

[12] **sonrisa** smile
[13] **de (corte) en (corte)** from (court) to (court)
[14] **le quedaba** he had left
[15] **el fraile (fray)** friar, monk, brother
[16] **tener (hambre, frío, sueño)** to be (hungry, cold, sleepy)
[17] **San Francisco** Saint Francis (*founder of the Franciscan order*)
[18] **más allá (de)** beyond
[19] **pájaro** bird
[20] **reina** queen

—Pregunta a los hombres más sabios de España. Ellos te dirán si esas tierras existen o si mi marinero es un loco.

Y así se hizo.[21] El marinero sacó sus viejos papeles y les contó su cuento. Y al fin pudo convencer a los sabios.

5 Entonces la Reina le preguntó a Juan Pérez:

—Y, ahora, ¿qué se necesita?

—Tres carabelas, su Majestad.

La Reina pensó mucho, porque había gastado su dinero en las guerras contra los moros. Pero de pronto:

10 —Aquí están,—le dijo al fraile.

Y le entregó sus joyas.[22]

Entonces el marinero partió hacia el oeste, guiado[23] por un pájaro de blancas plumas. Exactamente como aquella estrella[24] que había guiado a los tres Reyes Magos[25] al niño Jesús. No 15 iba a nacer un Dios, pero en cambio iba a nacer un continente.

Para eso los marineros tuvieron que sufrir mucho. Dos meses pasaron, y las tres carabelas aún cruzaban el mar. El viento las ayudaba mucho, porque no quería que don Cristó-20 bal Colón creyera[26] que le había dicho mentiras. El viento fué el que le contó todos esos cuentos de torres de porcelana con campanitas de oro y de plata, y le trajo perfumes de los grandes árboles de dulces aromas. Pero el que guiaba era el pájaro blanco. Él iba siempre adelante como el perro que 25 guía a un ciego.

Una mañana, don Cristóbal dió un grito de alegría. El pájaro marinero había hallado tierra. Pero no había llegado al Oriente, sino a América. La tierra no se llamaba América entonces, naturalmente, sino Guanahaní.[27] Colón habría dado 30 la vuelta[28] al mundo si no hubiera encontrado[29] tierras e islas que lo detuvieron.

Y así Colón desembarcó. Y plantó la cruz[30] y la bandera[31]

[21] **se hizo** it was done
[22] **joya** jewel
[23] **guiar** to guide
[24] **estrella** star
[25] **Reyes Magos** Wise Men
[26] **no . . . creyera** did not want Christopher Columbus to believe
[27] **Guanahaní** San Salvador (*now Watlings Island in the Bahamas*)
[28] **dar la vuelta a** to go around
[29] **si no hubiera encontrado** if he had not found
[30] **la cruz** cross
[31] **bandera** flag

de España. Y vinieron a recibirle hombres rojos que andaban en dos pies como nosotros y que le regalaron collares[32] de oro y plumas de varios colores. Después de Jesús, naturalmente, pronunció el nombre de Isabel. Se llamaba Isabel la Reina que le regaló las tres carabelas. 5

Al volver a España, Cristóbal Colón puso en las manos de la Reina un nuevo mundo. Era como si, en su collar de oro, hubiera colgado una esmeralda. Pues verdaderamente esta nueva tierra que estaba casi toda cubierta de bosques,[33] era semejante a esa piedra que simboliza la esperanza. Realmente 10 la Reina no podía quejarse de haber regalado sus joyas. El viejo marinero en cambio regaló a doña Isabel grandes tierras con bellos pájaros, árboles de extrañas y dulces frutas, y ríos llenos de piedrecitas de oro que venían del interior de esta rica tierra. Pero sobre todo le regaló a la Reina esos 15 hombres rojos que andaban en dos pies como nosotros y que tenían la piel[34] de bronce. Llevó a la Corte muchos indios; y en la Corte los admiraron mucho.

A cambio de[35] todo esto, de todas estas islas y estas tierras, de todas estas nuevas rutas que daban la vuelta al mundo, 20 don Cristóbal Colón murió pobre y triste.

Cuando murió el viejo tejedor de sueños, le pusieron el hábito del fraile franciscano y lo enterraron[36] bajo la tierra. En sus manos, las mismas manos que ofrecieron a la Reina un continente, podían verse las huellas[37] de las cadenas[38] que 25 le pusieron en la prisión. Y cierto Américo Vespucio[39] le robó el nombre de su mundo. Aunque es verdad también que hoy varias ciudades se disputan el honor de su nacimiento.[40] Y que muchas naciones besan las huellas de esos pies que los hombres ataron[41] con sus cadenas. 30

—Adapted from *Leyenda patria* by Alberto Guillén

[32] **el collar** necklace
[33] **el bosque** forest
[34] **la piel** skin
[35] **a cambio de** in exchange for
[36] **enterrar** to bury
[37] **huella** mark, print
[38] **cadena** chain
[39] **Américo Vespucio** Amerigo Vespucci (*discoverer and explorer of parts of South America, after whom America was named*)
[40] **nacimiento** birth
[41] **atar** to bind

THE OLD WORLD MEETS THE NEW

Stories of fabulous wealth and limitless opportunities attracted many men of courage and initiative to the newly discovered lands in one of the most amazing enterprises the world has ever seen. A short time after Columbus set foot on the island of San Salvador, exploration and colonization of Santo Domingo and a great part of the Caribbean area was carried out by the Spaniards. By 1519, we find Hernán Cortés with an army of only a few hundred daring Spaniards knocking at the door of the great Aztec empire of Montezuma.

When Cortés and his men entered Tenochtitlán, the Aztec capital, they found a large and flourishing city built on an island in the center of a lake and connected with the shore by great causeways. They were amazed to see magnificent palaces, and temples in the shape of pyramids where the Aztecs performed ritual ceremonies and offered human sacrifices to their pagan gods. The Spaniards were met by a great multitude of Indians curious to see the fair-skinned men, mounted upon strange animals, whom they believed to be demigods from across the seas.

This historic meeting of the old-world and new-world civilizations comes down to us in the vivid eye-witness account of Bernal Díaz del Castillo, who served as a young soldier in Cortés's army, and who after the conquest of Mexico spent the rest of his life in the New World.

This is Bernal Díaz's story, as he lived it and wrote it.

Tenochtitlán

Íbamos adelante por una ancha calzada[1] que va derecho a la ciudad de México. Esta calzada estaba toda llena de gente: unos que entraban en la ciudad y otros que salían, y los que venían a vernos. Tantos vinieron que los templos estaban todos llenos; los indios llegaban en canoas de todas partes del lago.[2] Y no era extraño, porque jamás habían visto caballos ni hombres como nosotros. 5

Vimos cosas tan maravillosas que no sabíamos si lo que aparecía ante nosotros era verdad; pues en tierra había grandes ciudades, y en el lago muchas otras. Todo el lago estaba lleno de canoas, y delante de nosotros podíamos ver la gran ciudad de México. Nosotros apenas éramos cuatrocientos soldados,[3] y no olvidábamos que varias veces los indios de otros pueblos nos habían advertido que no entrásemos en[4] la ciudad de México, pues nos matarían cuando nos tuviesen dentro. 10 15

Cuando llegábamos cerca de la ciudad, vimos que venía el gran Montezuma en magníficas andas.[5] Le acompañaban varios grandes caciques.[6] Al llegar cerca de nosotros, se bajó de las andas y se acercó debajo de un palio[7] de plumas verdes, adornado de oro, plata, perlas, y piedras preciosas. Estaba muy ricamente vestido, como era su costumbre. Cuatro grandes caciques llevaban el palio sobre su cabeza, y otros señores ponían mantas[8] delante de él para que sus pies no tocasen la tierra. 20 25

Cuando Cortés[9] vió que venía Montezuma, se bajó del

[1] **calzada** causeway; highway
[2] **lago** lake
[3] **soldado** soldier
[4] **nos . . . entrásemos en** had warned us not to enter
[5] **las andas** litter, sedan chair
[6] **el cacique** chief
[7] **palio** canopy
[8] **manta** robe, blanket; rug
[9] **Hernán Cortés** *Spanish conqueror of Mexico*

caballo. Montezuma le saludó, y nuestro capitán le respondió por medio de sus intérpretes. Luego Cortés regaló al gran Montezuma un collar hecho de unas lindas piedras de cristal de varios colores. Entonces iba a abrazarle; pero aquellos caciques que acompañaban a Montezuma no lo permitieron, porque lo consideraban falta de respeto. Luego Cortés, por medio de sus intérpretes, le dijo que le agradecía el gran honor que le había hecho en venir a recibirle.

Nos llevaron luego a un gran palacio que había pertenecido al padre del gran Montezuma, donde éste tenía sus adoratorios[10] de ídolos. Allí tenía también una habitación muy secreta donde guardaba joyas y piezas de oro, que era el tesoro[11] que le había dejado su padre. Nos llevaron a aquel palacio porque como nos consideraban teúles,[12] querían que estuviésemos[13] entre los ídolos que tenían allí. Habían preparado grandes habitaciones para nosotros, y otras ricamente adornadas para nuestro capitán.

Cuando llegamos, entramos en un gran patio. Montezuma tomó a nuestro capitán Cortés por la mano, y le llevó a las habitaciones que le habían preparado. Luego le regaló un fino collar de oro, y Cortés le dió las gracias[14] por medio de los intérpretes.

Entonces Montezuma se fué a sus palacios, que no estaban lejos, y nosotros nos fuimos a nuestras habitaciones. Nos habían preparado una comida magnífica, que luego comimos.

Y ésta fué nuestra atrevida[15] entrada en la gran ciudad de Tenochtitlán, México, el ocho de noviembre, año de Nuestro Señor de 1519.

* * *

Cuando Montezuma se enteró de que ya habíamos comido, vino a nuestras habitaciones con gran número de caciques,

[10] **adoratorio** sanctuary, teocalli
[11] **tesoro** treasure
[12] **el teúl** god; supernatural being
[13] **querían que estuviésemos** wanted us to be
[14] **dar las gracias** to thank
[15] **atrevido** bold, daring

y con gran pompa. Cuando le dijeron a Cortés que venía, salió a recibirle. Trajeron unos asientos adornados de oro, y ambos se sentaron.

Montezuma dijo que se alegraba de[16] tener en su tierra a tan valientes caballeros, y que quería servirnos y darnos 5 todo lo que necesitásemos. Y que debía de ser verdad que éramos los que sus antepasados,[17] hacía muchos años,[18] habían dicho que vendrían de donde sale el sol[19] a dominar estas tierras.

Cortés le respondió por medio de nuestros intérpretes, que 10 siempre estaban con él, y le dijo que no sabía cómo pagar los grandes honores recibidos. Y dijo que ciertamente veníamos de donde sale el sol, y éramos vasallos[20] de un gran señor que se llamaba el emperador don Carlos,[21] quien, teniendo noticias de Montezuma, nos envió a estas tierras a verle y a 15 rogarle a él y a todos sus vasallos que fuesen cristianos, como era nuestro emperador y todos nosotros.

Cortés dijo que adorábamos[22] a un solo Dios verdadero, y que la cruz que adorábamos representaba otra cruz donde Nuestro Señor Jesucristo fué crucificado por nuestra salva- 20 ción, y la de toda la raza humana. Y dijo que Nuestro Dios está en los cielos, y es él quien hizo el cielo y la tierra y el mar, y creó[23] todas las cosas que hay en el mundo, y que los que ellos consideraban dioses no eran más que diablos. Y que nuestro emperador, sintiendo compasión por las muchas almas 25 que aquellos ídolos llevaban al infierno,[24] nos envió a pedirles que no adorasen más[25] aquellos ídolos, y que no sacrificasen más indios.

Y Montezuma le respondió:

—Señor Cortés: nosotros adoramos nuestros dioses y les 30

[16] **alegrarse de** to be glad to
[17] **antepasado** ancestor
[18] **hacía muchos años** many years ago
[19] **sale el sol** the sun rises
[20] **vasallo** subject, vassal
[21] **don Carlos (Carlos Quinto)** *Charles V (King of Spain 1516-1556)*
[22] **adorar** to worship
[23] **crear** to create
[24] **infierno** hell
[25] **que no adorasen más** not to worship any more

consideramos buenos; también los suyos deben de ser buenos, y no es preciso que nos hablen más de ellos.[26]

Después el gran Montezuma dió muy bellas joyas y algunas piezas de oro y ropa fina a nuestro capitán, y a cada uno de
5 nosotros dió dos collares de oro y muchas mantas. Y mandó que nos dieran todo lo que necesitábamos, que era maíz,[27] piedras[28] e indias para hacer pan, gallinas,[29] fruta, y mucha hierba[30] para los caballos.

Montezuma se despidió con gran cortesía y salimos con él
10 hasta la calle.

* * *

El gran Montezuma tenía como cuarenta años.[31] Era bastante alto y no muy moreno,[32] y traía el pelo no muy largo. El rostro era algo largo y alegre, y la mirada amable, pero cuando era preciso, grave. Era muy limpio; y se ponía mantas
15 y ropas limpias todos los días.

Tenía más de doscientos caciques en otras habitaciones junto a la suya. Cuando iban a hablarle, tenían que quitarse sus ricas mantas y ponerse otras de poco valor. Tenían que entrar con gran reverencia sin mirarle a la cara,[33] y al entrar
20 le decían:

—Señor, mi señor, mi gran señor.

De lo que el gran Montezuma iba a comer, cocían[34] más de trescientos platos. Se decía que solían cocerle carne de muchachos jóvenes, pero como vimos que le habían cocido
25 tantas cosas y tantas clases de carnes, no podíamos estar seguros si era carne humana o de otra cosa.[35]

Comía sentado en un asiento bajo, y la mesa era también baja. Dos mujeres muy hermosas le servían agua, y otras le traían tortillas.[36] Cuando comenzaba a comer, ponían delante

[26] **que . . . ellos** for you to talk to us any more about them
[27] **el maíz** corn
[28] **piedras** grinding stones
[29] **gallina** hen, chicken
[30] **hierba** grass
[31] **tenía (como cuarenta) años** he was (about forty) years old
[32] **moreno** dark, brunet
[33] **sin . . . cara** without looking him in the face
[34] **cocer** to cook
[35] **otra cosa** something else
[36] **tortilla** tortilla (*unleavened bread in the shape of a pancake, made of ground hominy*)

de él una puerta pintada de oro, para que no le viesen comer, y se iban las mujeres. Al lado de Montezuma había cuatro grandes señores viejos, de pie,[37] con quienes a veces conversaba. Como un gran favor, daba a cada uno de estos señores un plato de lo que a él le gustaba más; y lo comían de pie, con gran respeto, y sin mirarle a la cara.

Le traían frutas de todas clases, mas comía muy pocas. Las mujeres le servían unos vasos de oro con cierta bebida[38] hecha de cacao.[39] Algunas veces, mientras comía, unos indios chicos y muy feos le cantaban y bailaban.[40] También le traían tres pipas pintadas, que tenían dentro unas hojas que se llaman tabaco, que fumaba[41] cuando acababa de comer.

Luego comían los caciques y los criados. Me parece que servían más de mil platos de aquellas comidas que he mencionado, y mucha fruta.

Montezuma tenía dos casas llenas de todo género de armas, muchas de ellas adornadas de oro y piedras preciosas. Unas eran como lanzas, pero más largas que las nuestras. Tenía también muy buenos arcos y flechas.[42]

En otra gran casa tenían muchos ídolos, que decían eran sus dioses; y con ellos tenían toda clase de animales, tales como jaguares, leones y culebras,[43] que criaban[44] en aquella casa. Les daban de comer[45] gallinas, perros y otros animales; y se decía que también los cuerpos de los indios que sacrificaban. Y aun estábamos seguros que después cuando nos echaron de la ciudad de México y mataron a muchos de nuestros soldados, de los muertos daban de comer a aquellos animales y culebras durante muchos días.

Montezuma tenía plateros[46] cuyo trabajo los grandes plateros en España tienen que admirar. También había indias que le hacían mucha ropa fina con labores[47] de plumas.

En los jardines de sus palacios, había flores y árboles de

[37] **de pie** standing
[38] **bebida** drink
[39] **cacao** cocoa
[40] **bailar** to dance
[41] **fumar** to smoke
[42] **arcos y flechas** bows and arrows
[43] **culebra** snake
[44] **criar** to raise
[45] **dar de comer** to feed
[46] **platero** silversmith
[47] **la labor** work, design; embroidery

muchos géneros, y pájaros de muchos colores que vivían en los árboles. Y nos sorprendió mucho el gran número de plantas medicinales que tenían allí.

Y ahora contaré como nuestro Cortés, con muchos de nuestros soldados, fué a ver el Tlatelolco, que es la gran plaza de México; y como subimos al alto templo donde estaban sus ídolos Tezcatlipoca y Huitzilopochtli.

* * *

Como hacía cuatro días que estábamos en México,[48] nos dijo Cortés que sería bueno ir a ver la gran plaza y el templo de Huitzilopochtli. Así envió a ver si Montezuma lo permitía, y éste contestó que él nos acompañaría.

En sus magníficas andas y con una vara[49] de oro en la mano, como vara de justicia, Montezuma salió de sus palacios acompañado de[50] muchos de sus caciques. Pero al llegar al templo, se bajó de las andas, porque le parecía un gran deshonor a sus ídolos ir a su adoratorio de aquella manera. Y así subió al adoratorio[51] a pie, acompañado de muchos sacerdotes,[51a] y comenzó a adorar a Huitzilopochtli, su dios de la guerra.

Cortés y nuestros soldados fuimos al templo a caballo.[52] Con nosotros iban muchos caciques que Montezuma envió a acompañarnos. Cuando llegamos a la gran plaza, que se llamaba el Tlatelolco, como nunca habíamos visto tal cosa, nos sorprendimos al ver la gran multitud[53] de gente y mercaderías[54] que había en ella.

Cada género de mercaderías tenía su sitio. Había mercaderías de oro y plata y piedras preciosas y plumas. También vimos indios esclavos[55] que traían a vender. Luego había otras mercaderías de ropa y mantas. En otro sitio vendían cacao, gallinas, perros, frutas, papel, tabaco, maíz, mesas y

[48] **hacía . . . México** we had been in Mexico City four days
[49] **vara** staff
[50] **acompañado de** accompanied by
[51] *The sanctuary was located on the flat top of the pyramid temple.*
[51a] **el sacerdote** priest
[52] **a caballo** on horseback
[53] **la multitud** crowd
[54] **mercaderías** goods, merchandise
[55] **esclavo** slave

asientos, y cuantos géneros de mercaderías hay en toda la Nueva España.[56] Y cerca de allí estaban otros indios que venían a vender oro que habían sacado de las minas. Las cosas que allí se vendían eran tantas, que en dos días no podría verse todo. 5

Así dejamos la plaza y llegamos al gran templo. Montezuma envió desde arriba, donde estaba adorando a sus dioses, a seis sacerdotes para acompañar a nuestro capitán.

Subimos las gradas[57] del gran templo, que eran ciento catorce. En lo alto[58] vimos unas grandes piedras, donde 10 ponían a los pobres indios para sacrificarlos. Allí había una figura semejante a un dragón, y mucha sangre de los sacrificios de aquel día. Cuando llegamos, Montezuma, acompañado de dos sacerdotes, salió de un adoratorio donde estaban sus ídolos, que era en lo alto del gran templo, y con mucho 15 respeto le dijo a Cortés:

—Usted estará cansado[59] de subir a nuestro gran templo, señor Cortés.

Cortés le dijo por medio de nuestros intérpretes, que nos acompañaban, que ni él ni nosotros jamás nos cansábamos.[60] 20

Luego Montezuma le tomó por la mano y le dijo que mirase[61] su gran ciudad y los otros pueblos alrededor[62] del lago. Y dijo que si no había visto muy bien su gran plaza, que desde allí podría verla mucho mejor. Aquel gran templo era tan alto que todo lo vimos[63] muy bien. 25

Vimos las tres anchas calzadas que entran en la ciudad de México. Y vimos que en todas las ciudades que estaban en el agua, sólo podían pasar de una casa a otra por medio de puentes[64] o en canoas. Y vimos en aquellas ciudades templos con adoratorios como torres, todos muy blancos, y dignos de 30 admiración.

Después volvimos a mirar la gran plaza y la gran multitud

[56] **la Nueva España** Mexico
[57] **grada** (tiered) step
[58] **lo alto** (the) top
[59] **usted estará cansado** you must be tired
[60] **cansarse** to get tired
[61] **le dijo que mirase** told him to look at
[62] **alrededor de** around
[63] **todo lo vimos** we saw everything
[64] **el puente** bridge

de gente que había en ella, unos comprando y otros vendiendo. Entre nosotros había soldados que habían estado en muchas partes del mundo, en Constantinopla y en toda Italia y Roma, y dijeron que jamás habían visto una plaza tan 5 grande y llena de tanta gente.

* * *

Luego nuestro Cortés dijo a Montezuma, por medio de sus intérpretes:

—Muy gran señor, nos alegramos de ver sus ciudades. Ahora lo que le pido a usted es que, desde que estamos aquí, 10 en este su templo, nos muestre sus dioses.

Montezuma dijo que primero hablaría con sus sacerdotes. Y cuando había hablado con ellos, nos dijo que entrásemos en una torrecilla que era el adoratorio, donde había dos altares. En cada altar había una figura semejante a la de 15 un gigante.[65] El primero, que estaba a la derecha, nos dijeron que era Huitzilopochtli, su dios de la guerra. Su rostro era ancho y los ojos espantosos.[66] Todo el cuerpo estaba cubierto de piedras preciosas, oro y perlas, y ceñido[67] de unas grandes culebras hechas de oro. En una mano tenía un arco y en la 20 otra unas flechas. De su cuello colgaban unos corazones de oro con muchas piedras azules. Y allí cerca quemaban[68] incienso y tres corazones de indios que aquel día habían sacrificado.

Luego vimos a la izquierda el otro gran ídolo, Tezcatlipoca, 25 el dios que tenía cargo de las almas de los mexicanos. Su rostro era semejante al de un oso,[69] y el cuerpo estaba ceñido de unas figuras como diablillos con colas[70] como culebras. El suelo y las paredes del adoratorio estaban cubiertas de sangre, y allí vimos también cinco corazones de indios que le 30 habían sacrificado aquel día.

Nuestro capitán Cortés dijo a Montezuma, medio riendo:

—Señor Montezuma, yo no sé cómo un señor tan grande

[65] **el gigante** giant
[66] **espantoso** frightful
[67] **ceñir (de)** to encircle (with)
[68] **quemar** to burn
[69] **oso** bear
[70] **cola** tail

y tan sabio como es su Majestad no ha comprendido que sus ídolos no son dioses, sino cosas malas, que se llaman diablos. Permítanos poner una cruz en lo alto de esta torre y en este adoratorio, una imagen de Nuestra Señora,[71] y verán ustedes qué miedo tendrán esos ídolos.[72] 5

Montezuma respondió enojado:[73]

—Señor Cortés, si yo hubiera creído que usted iba a decir tal deshonor, no le habría mostrado mis dioses. Nosotros les consideramos muy buenos, y ellos nos dan salud y agua y buenas cosechas[74] y buen tiempo y muchas victorias, y te- 10 nemos que adorarles y hacerles sacrificios. Y ahora le ruego que no digan otras palabras en su deshonor.

Nuestro capitán no le contestó, sino con cara alegre, le dijo:

—Ya es tarde, su Majestad, y debemos irnos. 15

Montezuma respondió que antes de irse, él tenía que rezar[75] y hacer cierto sacrificio a sus dioses por el gran pecado[76] que había cometido en dejarnos subir a su gran templo a ver a sus dioses. Y Cortés le dijo:

—Pues entonces, perdone, señor. 20

Luego bajamos. Y como eran ciento catorce gradas, y habíamos andado mucho aquel día, empezamos a sentirnos cansados, y decidimos volver a nuestras habitaciones.

La base de aquel templo era muy grande, y desde la base hasta lo alto, donde estaban los ídolos, se iba estrechando,[77] 25 en forma de pirámide. Se decía que en aquellos tiempos cuando construyeron[78] aquel gran templo, en el cimiento[79] todos los habitantes[80] de aquella gran ciudad habían echado oro, plata, perlas y piedras preciosas, y que allí habían sacrificado muchos indios que habían tomado en las guerras, y 30 que habían echado allí toda clase de semillas,[81] para que

[71] **Nuestra Señora** *the Virgin Mary*
[72] **qué miedo tendrán esos ídolos** how afraid those idols will be
[73] **enojado** angry
[74] **cosecha** crop, harvest
[75] **rezar** to pray
[76] **pecado** sin
[77] **se iba estrechando** it gradually became narrower
[78] **construir** to build, construct
[79] **cimiento(s)** foundation
[80] **el habitante** inhabitant
[81] **semilla** seed

sus ídolos les diesen victorias y riqueza[82] y buenas cosechas.

Cuando más tarde ganamos aquella gran ciudad, decidimos construir sobre aquel gran templo la iglesia de nuestro patrón Santiago.[83] Y cuando abrían los cimientos para hacerlos 5 más fuertes, hallaron mucho oro, plata, perlas y otras piedras preciosas.

Este gran templo era el mayor templo de todo México. Sin embargo, cada provincia tenía sus magníficos templos, y todos tenían sus propios ídolos; y es cosa de reír[84] que los de una 10 provincia o ciudad no ayudaban a los otros, y así tenían un inmenso número de ídolos, y a todos hacían sacrificios.

—ADAPTED FROM *Verdadera historia de la conquista de la Nueva España* BY BERNAL DÍAZ DEL CASTILLO

[82] **riqueza** wealth
[83] **nuestro patrón Santiago** our patron Saint, St. James
[84] **cosa de reír** an amusing thing

THE FUSION OF TWO CULTURES

South of the Aztec empire of Mexico, the Spaniards came in contact with two other advanced Indian civilizations: the Incas of Peru and the Mayas of Guatemala and Yucatan.

Although in the end the Spanish civilization prevailed, the Spaniards did not entirely succeed in changing the native way of life. Christian churches were built on the old temples to destroy the ancient faith, but the Indians who came to worship prayed to the old gods as well. Indian culture survived too in folk art, crafts, and customs. Fused with the culture of the conqueror, it may be observed today in the decorative motifs of Spanish American churches, in musical and literary themes, in the paintings of such artists as Diego Rivera of Mexico and José Sabogal of Peru. Spanish American culture has begun to achieve striking individuality since it has become conscious of its native heritage.

One of the few written records of the ancient Indians which has come down to us is the Popol-Vuh, an account of the creation, religious beliefs, and legends of the Quiché Indians of Guatemala, a branch of the Maya race. Composed in the Quiché dialect and written down in Latin characters around 1550, it was translated into Spanish about 1702 by Fray Francisco Jiménez, to whom we owe its preservation.

The story of how the Popol-Vuh came to be written is retold by the Guatemalan author Carlos Samayoa Chinchilla, one of the Spanish American writers of today who have been inspired by Indian themes.

La leyenda del Popol-Vuh[1]

Escena primera

En el fondo de un hermoso valle verde, surge[2] la blanca ciudad de Gumarkaaj.[3] Aquí han vivido muchas generaciones; aquí sus dioses y sus hombres han sufrido siempre bajo el calor del sol tropical.

5 Desde las altas sierras cubiertas de árboles, los caminos bajan al fondo de las siete barrancas[4] que rodean la ciudad, y salen al otro lado entre las primeras casas.

La calle principal de la ciudad, después de pasar frente a las gradas del templo de Tojil, dios de la guerra, continúa 10 hacia el lado donde sale el sol, y pasando por el barrio[5] de los plateros, llega al gran barrio de los tejedores.

Allí Sajbachín Ax vivía solo en una pequeña choza.[6] Era tejedor, y conocía todos los secretos del telar.[7] Sabía, por ejemplo, que un diseño[8] decorativo debe tener dos líneas 15 imperfectas; porque su perfección absoluta no gusta al dios del telar, el que da prosperidad a los tejedores. Sabía preparar el algodón,[9] las plumas de los pájaros, y el pelo de los animales, para tejerlos.[10] Sabía dar el verdadero color a las figuras que adornaban la tela,[11] exactamente como lo aprendió 20 de su padre, hijo también de viejos tejedores.

Conocía, además, lo que significan los colores según la tradición: el negro, que representa el hambre y los malos

[1] **leyenda del Popol-Vuh** legend of the Popol-Vuh (*sacred book of the Quiché Indians of Guatemala*)
[2] **surgir** to rise
[3] **Gumarkaaj (Utatlán)** *ancient Quiché capital, in the western highlands of Guatemala*
[4] **barranca** gorge, ravine
[5] **barrio** district
[6] **choza** shack
[7] **el telar** loom
[8] **diseño** design
[9] **el algodón** cotton
[10] **tejer** to weave
[11] **tela** cloth

días; el amarillo,[12] que representa la riqueza de las tribus, o el maíz amarillo; el rojo, que simboliza la sangre de los sacrificios sobre las gradas del adoratorio de Tojil; y el azul, empleado exclusivamente para los trajes de los de sangre real.

Una mañana, obligado a concluir un *huipil*[13] para una persona de importancia, la mujer de un cacique, Sajbachín Ax se sentó en el suelo ante el telar. Pero sentía una extraña inquietud,[14] y después de varias horas de trabajo, notó que una de las figuras del diseño no estaba bien tejida.

Un terrible dolor de cabeza lo hizo salir al pequeño patio de su casa en busca[15] de aire fresco. Su lengua temblaba, y en sus ojos aparecía una luz extraña.

Sobre los cerros[16] había manchas[17] rojas... Era preciso hacer grandes sacrificios a los dioses enojados... La ciudad de Gumarkaaj debía prepararse a morir.

Y comprendiendo de pronto la destrucción y tragedia que esperaba a su raza, Sajbachín Ax, el tejedor, se volvió loco.[18]

* * *

Por las calles de la ciudad de Gumarkaaj, va un indio loco profetizando.[19]

Al verlo, los niños asustados dejan sus juegos, y la gente se ríe de sus exclamaciones.

EL INDIO LOCO.—¡El reino del Quiché[20] desaparecerá! ¡Gumarkaaj, la ciudad gloriosa, industriosa, rica y devota, desaparecerá! ¡Ya se acerca el día triste...!

UNA INDIA JOVEN.—¡Hombre loco! ¿Dónde está tu casa? ¿Cuál es tu milpa?[21] ¿Quién es tu familia?

EL INDIO LOCO.—¿Casa? ¿Milpa? ¿Familia? ¿Y para qué quiero todo eso, si mañana nuestros templos no serán más que ruinas donde vivan los jaguares? Pues unos hombres armados, terribles y crueles, vendrán por el mar, y quemarán

[12] **amarillo** yellow
[13] **el huipil** huipil (*colorful blouse worn by Maya women*)
[14] **la inquietud** uneasiness
[15] **busca** search
[16] **cerro** hill
[17] **mancha** spot, stain
[18] **volverse loco** to go crazy
[19] **profetizar** to prophesy
[20] **reino del Quiché** kingdom of the Quiché Indians
[21] **milpa** cornfield

todos estos edificios, destruyendo también los dioses del Quiché.

Y todos ríen, mientras el loco sigue por las plazas y calles profetizando.

5 Sentado a la puerta de una casa de piedra, un niño de ojos brillantes[22] y obscuros escucha. El niño no ríe, no dice nada... Se pone triste, porque él lo sabe desde ese momento: el reino del Quiché desaparecerá; Gumarkaaj desaparecerá.

* * *

Escena segunda

Los primeros tiros[23] de armas de fuego rompen la paz de la 10 mañana; y sobre un cerro aparece la primera cruz, junto a la bandera de España.

¡Es la hora de la conquista!

En la noche, mitad roja y mitad negra, Balam,[24] el jaguar, llega al río, donde flota como un coco[25] seco la luna celestial.

15 EL JAGUAR.—Luna del Quiché, ¿qué es esa luz roja al lado del volcán? ¿Una nueva erupción?

LA LUNA.—Gumarkaaj se quema, Balam. Sobre la tierra del Quiché, hay gente extraña.

EL JAGUAR.—Ya lo sé, Luna del Quiché. Ayer, cuando salí 20 al campo, cerca del río encontré un animal grande. Tenía largo pelo sobre el cuello y la frente. Me acerqué para verlo mejor. Al verme, resopló[26] y trató de huir... En las aguas del río se bañaba[27] un hombre de carne blanca y con barba[28] color de miel.[29] Sobre unas piedras estaban su ropa y su 25 lanza. ¡Nunca he visto tales cosas! De pronto, levantó sus ojos. Me observó sin miedo, no confesó sus pecados[30] ante

[22] **brillante** bright
[23] **tiro** shot
[24] **Balam** *Maya name for the jaguar and witch-doctor (who could turn himself into a jaguar)*
[25] **coco** coconut
[26] **resoplar** to snort
[27] **bañarse** to bathe
[28] **barba** beard
[29] **la miel** honey; **color de miel** honey-colored
[30] *The Indians believed a man could save himself from a wild beast by kneeling and confessing his sins.*

mí, ni imploró por su vida. Tú conoces mi valor; pero al recibir la mirada de ese hombre de la barba color de miel, empecé a temblar. ¿Cómo se llama? ¿Lo conoces tú, que todo lo ves y lo sabes, Luna del Quiché?

LA LUNA.—Sí, lo conozco, Balam. Ese hombre fuerte y cruel 5 como tú, se llama don Pedro de Alvarado.[31] Es un hombre valiente, y será el dueño de todas estas tierras.

* * *

Después del triste 4 *kat* (4 de abril de 1524),[32] la gente, huyendo del fuego que destruyó la ciudad de Gumarkaaj, buscó refugio en la fortaleza de Ziguán Tinamit,[33] hacia el 10 sur. En lo alto de un cerro improvisaron un adoratorio, y llenos de miedo, hicieron sacrificios al dios Tojil en memoria de sus caciques, víctimas de la crueldad de don Pedro de Alvarado.

Entre los que lamentan la destrucción de su pueblo, el 15 robo[34] de sus tesoros y sus mujeres, hay un joven de ojos brillantes y obscuros: el que un día oyó la profecía de Sajbachín Ax, el loco de Gumarkaaj.

Los años pasan. El joven se hace hombre. Durante mucho tiempo escucha, pregunta a los cerros, a los bosques, a las 20 estrellas. Cuando comprende que las armas son inútiles, los dioses impotentes; cuando se construye la primera iglesia cristiana en Ziguán Tinamit, y el tormento de su raza contrasta con la paz de la colonia española, él aprende la nueva lengua. 25

Seguro de su misión, sintiendo que él ha sido escogido para escribir la historia de su raza, comienza:

«Aré u xe oher tzij uaral Quiché u bi.»[35]

(*Éste es el principio de la antigua historia del Quiché.*)

[31] **Pedro de Alvarado** *Spanish conquistador who had previously taken part in the conquest of Mexico under Cortés*

[32] *This is the date of the burning of the city by the Spaniards, according to the Maya calendar.*

[33] **fortaleza de Ziguán Tinamit** fortress of Ziguán Tinamit (*later the city of Chichicastenango, Guatemala*)

[34] **robo** theft

[35] **«Aré . . . bi.»** *opening words of the Popol-Vuh*

Otra vez se revela el pasado, empezando con los primeros días del génesis del Nuevo Mundo:

«Ésta es la relación de cómo todo estaba en suspenso, todo tranquilo, en silencio, y vacío[36] el cielo.

5 «No había todavía un hombre, ni animales, pájaros, árboles, piedras, barrancas, hierba ni bosques: sólo existía el cielo y el mar tranquilo.

«No había ningún ruido; nada se movía. Sólo había silencio en la noche. Sólo los sabios Creadores Tepeu y Gucumatz[37] 10 estaban en el agua, rodeados de luz. Llevaban tocados[38] de plumas verdes del quetzal.»[39]

Luego, entre el ruido de los volcanes que hacen temblar la tierra, y en la noche alumbran[40] los mares con la luz de sus erupciones, los dioses de América comienzan a tejer con la 15 vida y con la muerte en el telar del universo. La noche se convierte en luz, y el primer día nace tras los cerros rojos.

«Luego los dioses crearon los animales pequeños de los bosques, los venados,[41] los pájaros, los leones, los jaguares y las culebras.

20 «Y dijeron los Creadores:

«—Tú, venado, dormirás en el valle de los ríos y en las barrancas. Vivirás en el bosque, y andarás en cuatro pies.

«Y dijeron a los pájaros:

«—Vosotros, pájaros, viviréis sobre las ramas[42] de los 25 árboles.

«Y los animales del bosque comienzan a saltar bajo los árboles, y los pájaros a volar[43] entre las ramas. En un valle, cerca del río, crece la primera milpa. Bajo el cielo vuela, como una flor brillante, el primer quetzal.»

30 Luego los dioses se dedicaron[44] a dar vida al hombre; pero

[36] **vacío** empty
[37] **Tepeu y Gucumatz** Sun-god and Star-god, the Creator-couple (*Gucumatz corresponds to the Mexican feathered serpent god, Quetzalcoatl.*)
[38] **tocado** headdress
[39] **el quetzal** quetzal (*small green bird of iridescent plumage, guardian spirit of Indian chiefs*)
[40] **alumbrar** to light (up)
[41] **venado** deer
[42] **rama** branch, limb
[43] **volar** to fly
[44] **dedicar** to dedicate, devote

sólo lograron crearlo después de varios esfuerzos. El primer hombre resultó arrogante, débil e incompleto, y los dioses lo destruyeron. Entonces hicieron muñecos[45] de madera que andaban y hablaban como el hombre; pero éstos no tenían corazón y olvidaron a sus Creadores, y fueron también des- 5 truidos.

La gran obra continuó hasta que al fin lograron crear hombres y mujeres inteligentes que hablaban y alababan[46] a sus dioses. Con los pies en el agua de los ríos y los lagos y la frente entre las nubes, los Creadores sonrieron al contemplar[47] 10 su obra.

Esta historia, más tarde, será transmitida de generación en generación, y con ella, la fe en los dioses de su raza. El historiador[48] escribe durante largos años; y cuando la obra está terminada, desaparece misteriosamente... 15

Del alto cielo cae una lluvia[49] de estrellas. Son los tocados de Tepeu y Gucumatz, los Creadores, cuyas verdes plumas de quetzal caen sobre la tumba del primer historiador de su raza.

* * *

Escena tercera[50]

Han pasado cerca de doscientos años. 20

Bajo el cielo de porcelana azul de Guatemala, pasan por los caminos unos hombres a caballo.

Es el 4 de febrero del año de Nuestro Señor de 1688, y la capital de Guatemala se prepara a recibir al nuevo Goberna- dor[51] que llega de España. Con él viene un fraile llamado 25 Francisco Jiménez, que más tarde será cura de la ciudad de Chichicastenango.

Profundamente interesado en la lengua de los indios, fray

[45] **muñeco** puppet; **muñecos de madera** wooden puppets
[46] **alabar** to praise
[47] **contemplar** to contemplate, gaze at
[48] **el historiador** historian
[49] **lluvia** rain, shower
[50] **tercero** third
[51] **el gobernador** governor

Francisco estudia con paciencia sus costumbres y aprende la difícil lengua quiché.

Los caciques indios ahora cumplen las leyes de la fe cristiana; se arrodillan[52] ante las imágenes y les rezan en su 5 lengua; pero fray Francisco, que los conoce bien, sabe que allá entre las milpas, los indios encienden velas[53] a los animales del bosque, y que sus mujeres rezan a la dulce Virgen María llevando un ídolo de piedra oculto entre las flores que le ofrecen. Él los conoce bien, y sin embargo, a veces no los 10 comprende.

Una noche, fray Francisco, después de estudiar hasta muy tarde, se quedó dormido[54] sobre sus libros. La puerta del cuarto se abrió y entró un indio, llevando un envoltorio[55] bajo el brazo.

15 EL INDIO BRUJO[56] (*Su cuerpo moreno está casi desnudo*[57] *y de su cuello cuelga un collar de jade. Sobre el rostro lleva una máscara*[58] *de madera.*)—Padre, despierta, escúchame; tú que me entiendes, te hablaré en mi lengua. Vengo a pedirte que recibas y guardes este envoltorio. Antes de entrar en el pueblo, 20 me despedí del Padre Sol y entré en la Casa Verde,[59] donde conjuré[60] al puma y a la culebra, porque ellos son sabios y astutos, y yo necesito que me ayuden[61] para que tú me comprendas.

Fray Francisco despierta sorprendido.

25 EL INDIO BRUJO.—Padre, te traigo este libro que es la historia de mis dioses y el principio de todo lo que fué creado por ellos.

EL FRAILE.—Mi Dios es único.[62] Por amor a la humanidad fué crucificado, y la cruz es el símbolo de la redención.

[52] **arrodillarse** to kneel
[53] **vela** candle
[54] **quedarse dormido** to fall asleep
[55] **envoltorio** package
[56] **brujo** witch doctor
[57] **desnudo** naked
[58] **máscara** mask
[59] **Casa Verde** *moss-covered cave where the witch doctor conjured and communicated with the spirits*
[60] **conjurar** to conjure, summon by magic
[61] **yo . . . ayuden** I need them to help me
[62] **mi Dios es único** my God is the only God

El indio brujo.—Mis dioses, Padre, son la naturaleza, y están siempre presentes en el corazón de todo lo que vive. Siempre los hemos honrado y servido, y vivirán eternamente, aunque parezca que nos han abandonado. Padre, ésta es la relación de cómo el mundo fué hecho. Nada nos queda ya, 5 y antes, todo era nuestro. Aun el recuerdo de las cosas del pasado se perderá, si tú no me escuchas. En estos últimos años, se han destruido siglos de nuestra historia; muchos de nuestros dioses han desaparecido, y las costumbres de nuestras familias están desapareciendo también. 10

El fraile.—Bienaventurados[63] los pobres, los oprimidos,[64] los hombres de buena voluntad. Bienaventurados los que aman a sus enemigos, porque todos los hombres sólo tienen un padre, que está en el cielo.

El indio brujo.—Mis dioses crearon los bosques y los ani- 15 males de la tierra, para que todos los hombres gozaran de ellos. ¿En qué lado del firmamento coloca tu dios el cielo de los indios? El corazón de mi gente está triste. Ya sólo nos queda este libro. Te lo traigo porque yo soy el último de los sacerdotes, y sé que pronto terminará mi vida... 20

* * *

Estudiando sus libros mientras toma una taza[65] de chocolate, las manos del reverendo fraile Francisco Jiménez, cura de la ciudad de Chichicastenango, encuentran de pronto el envoltorio que hace algunas noches dejó en su mesa el indio brujo. 25

Dudando, levanta los ojos hasta un Cristo en la pared y se persigna,[66] temiendo que aquello pueda ser alguna tentación[67] del diablo. Luego, curioso, abre el envoltorio. Envuelto[68] en una tela vieja de algodón, hay un libro. Lo abre. En la primera página, ya muy amarilla, está escrito: 30

«Aré u xe oher tzij uaral Quiché u bi.»

(*Éste es el principio de la antigua historia del Quiché.*)

[63] **bienaventurado** blessed are
[64] **oprimido** oppressed
[65] **taza** cup
[66] **persignarse** to cross oneself
[67] **la tentación** temptation
[68] **envolver** to wrap

«Ésta es la relación de cómo todo estaba en suspenso, todo en silencio y vacío el cielo.»

De pronto el fraile comprende que ha encontrado, por medio de aquel viejo manuscrito, la explicación[69] de muchas
5 cosas que aun existen entre los indios. Pero su fe cristiana lo hace dudar... En su poder están los medios de hacer vivir de nuevo los dioses del Quiché. Pero, ¿no sería esto un gran pecado?

¡No, no importa; todos los caminos de la tierra van al cielo!
10 Fray Francisco toma la pluma, y comienza a traducir[70] el Popol-Vuh.

¡Alegría, tierra de Guatemala! ¡Los dioses vuelven a los verdes campos del Quiché! Bailarines[71] cubiertos de oro y plumas de quetzal lo proclaman en sus bailes[72] sagrados.[73]
15 Tepeu y Gucumatz buscan a su gente: pero es en vano, porque lo que está escrito ha de cumplirse, y escrito estaba que el reino del Quiché desaparecería.

Es la misma tierra cubierta de lagos y de volcanes; es el mismo aire transparente;[74] es la misma luna de masa[75] de maíz
20 blanco que cuelga en la noche obscura. Pero los pueblos y los templos han desaparecido, o no son más que ruinas...

Las últimas palabras del libro sagrado tienen un triste sentido de resignación:

«Xeré curi mi ix utxinic chi cojonel Quiché, u bi.»
25 (*De esta manera, acabó todo lo que había en esta tierra del Quiché.*)

—Adapted from *Leyendas de Guatemala* by
Carlos Samayoa Chinchilla

[69] **la explicación** explanation
[70] **traducir** to translate
[71] **el bailarín** dancer
[72] **el baile** dance
[73] **sagrado** sacred
[74] **transparente** clear
[75] **masa** dough

RELIGIOUS HERITAGE

The long Spanish tradition of religious faith, intensified by the seven-century struggle to drive the Moors out of Spain, was transplanted to the New World. The early Spaniards who sailed to America were not motivated entirely by ambition for glory and material wealth, but also by a crusading spirit and desire to carry the Gospel across the seas. Thus Columbus, whose first act on setting foot on American soil was to plant the cross, on his second voyage brought along thirteen friars to convert the Indians to Christianity.

Missionaries and friars spread throughout the length and breadth of the Spanish American Empire, converting, civilizing, and educating the Indians. Soon religious observance became an important part of the daily life of the people. Magnificent cathedrals and churches were erected, symbols of the great power and influence of religion in the New World.

Among the many men and women in Spanish America who devoted their lives to the service of church and humanity was the young girl who became Saint Rose of Lima, loved and revered as the patron saint of America. Her radiant personality has been captured in the following selection by the noted Argentine author, Enrique Rodríguez Larreta.

Santa Rosa de Lima

En el Perú, el año de 1605, en la ciudad de los Reyes.[1] Es una noche de octubre. La ciudad duerme bajo la luz de las estrellas, y las torres de sus iglesias surgen, aquí y allá, más obscuras que las sombras. Miles de luciérnagas[2] vuelan por los árboles. El aire está lleno de perfumes, y la tranquilidad de la noche sólo es interrumpida a veces por la voz de los serenos.[3]

Poco a poco, el amanecer[4] empieza a encender los cerros de San Cristóbal y Amancaes. Una brisa llega del mar.

En el jardincito de una humilde[5] casa, una mujer, vestida de[6] blanco, va y viene entre las sombras. Es Rosa, la hija de María Oliva y Gaspar Flores. Todas las mañanas, antes del amanecer, recoge en el jardín las flores que un instante después llevará a la virgen del Rosario, en la vecina iglesia de Santo Domingo.

Hacia un lado del jardín, la puerta de una blanca celda[7] se distingue en la obscuridad,[8] a la luz de una lámpara. Es la celda construida por Rosa para dedicarse a la devoción[9] y la penitencia sin abandonar a sus padres y a sus hermanos.

No ha escogido esa vida guiada por los pesares. Ha nacido santa. Parece que los ángeles tocan todo lo que ella pone bajo su cuidado.

Aún no tiene veinte años, y nadie ignora en Lima los milagros[10] con que el Señor la favorece. Sólo ella encuentra natural que los pájaros acompañen con sus trinos[11] las fer-

[1] **ciudad de los Reyes** Lima (*so called because it was founded on January 6, "Three Kings Day"*)
[2] **luciérnaga** firefly
[3] **sereno** night watchman
[4] **el amanecer** dawn
[5] **humilde** humble
[6] **vestido de** dressed in
[7] **celda** (nun's) cell
[8] **la obscuridad** darkness
[9] **la devoción** prayer, worship
[10] **milagro** miracle, wonder
[11] **trino** trill

vientes canciones[12] que ella improvisa. Y en los días de gran necesidad, cuando su madre o sus hermanas se sienten enfermas, en un instante maravillosas labores aparecen en la tela bajo su aguja.[13]

Rosa comprende que sufrir y ser pobre son para Dios los más altos honores de esta vida. Visita constantemente los hospitales; entra en las chozas de los indios; cuida con sus propias manos a los enfermos de cáncer abandonados por sus familias.

Es hermosa como un ángel; sus grandes y brillantes ojos involuntariamente encienden pasiones en el corazón de ricos y virtuosos caballeros. Su madre quiere casarla, y la obliga a vestirse como las otras jóvenes. Pero las flores que adornan su frente tienen debajo una corona[14] de espinas.[15] Por fin, declara su firme decisión de entregar su corazón a Jesucristo.

Una noche, después de haber trabajado hasta muy tarde, a la luz de la lámpara, soñó que preparaba el vestido para sus bodas[16] espirituales, adornándolo con figuritas de ángeles y los símbolos de la Trinidad. De pronto le parece que alguien le quita la aguja de los dedos; y un ángel aparece ante ella y le ofrece una corona de lágrimas que le envía Nuestro Señor. En seguida el ángel le muestra el velo nupcial,[17] velo sólo visible para el alma, un velo hecho de lágrimas y suspiros[18] de este mundo.

* * *

Rosa abre la puerta del jardín con cuidado para no despertar a los que duermen, y sale de la casa, abrazando contra su pecho las flores que ofrecerá a la Virgen.

Los suaves colores del amanecer encienden el cielo sobre los techos.[19] Las puertas de las casas se abren, una a una. Se oyen las canciones de las esclavas que trabajan en los patios.

[12] **la canción** song
[13] **aguja** needle
[14] **corona** crown
[15] **espina** thorn
[16] **bodas** wedding
[17] **velo nupcial** wedding veil
[18] **suspiro** sigh
[19] **techo** roof

Rosa entra en la iglesia con religioso respeto. Dos velas están encendidas cerca de un altar. Su débil luz hace visibles, dentro de un negro ataúd,[20] las manos cruzadas de un muerto. Ni una flor, ni una oración.

5 Al lado del ataúd, un fraile dormita[21] sentado en un banco.[22] Rosa se acerca a él. El fraile abre los ojos y exclama sorprendido:

—¡Por Dios![23] ¡Yo soñaba con ella, y la veía venir con ese hábito, con esas flores!

10 Luego, ocultando su sorpresa, añade dulcemente:

—El Señor la trae, niña santa. ¿Qué labios pueden rezar mejor que los suyos por el alma de este muerto?

—¿Quién era?... —pregunta Rosa, observando el rostro del muerto.

15 —Pues yo no lo sé exactamente—responde el fraile. —Jamás quiso decir su nombre ni su origen; pero puedo decir que el Caballero Trágico, como todos le llamábamos, ha sido un gran penitente y que la extraña historia de su conversión debe servir como ejemplo para pecadores.[24]

20 El fraile calla un instante, pero mirando a la joven como si estuviera hablando a una santa aparición, añade con voz llena de emoción:

—Yo le conocí en Huancavelica,[25] hace seis años. Organizó allí una banda de rufianes, a la cual el diablo me unió, y 25 salíamos a descubrir tesoros y huacas[26] antiguas, y minas ocultas.[27] Para lograr nuestro objeto, torturábamos a los caciques, y si no querían decirnos dónde estaban los tesoros, entrábamos en sus chozas y dábamos muerte[28] a sus familias. Después veníamos a esta ciudad de Lima, a gastar en vicios 30 el dinero que nuestros crímenes nos habían producido... Mucho pudiera decir, mas ésta no es la ocasión.

[20] **el ataúd** coffin
[21] **dormitar** to doze
[22] **banco** bench
[23] **por Dios** for heaven's sake
[24] **el pecador** sinner
[25] **Huancavelica** *mining town in the Peruvian Andes*
[26] **huaca** Indian burial ground (*The Incas buried jewels and gold objects with their dead.*)
[27] **oculto** hidden
[28] **dar muerte** to put to death, kill

Rosa dió un suspiro. El fraile, después de un momento de silencio, levantó la cabeza y continuó su relación.

—Una vez, ese hombre que ahora duerme el sueño de la eternidad, venía conmigo a comulgar[29] a esta iglesia, cuando la vió a usted salir por la puerta de la iglesia, y dejándome, en seguida se puso a seguirla. Aunque después se enteró de qué devota era usted y qué desinteresada en todas las vanidades y pasiones del mundo, resolvió, sin embargo, seducirla o robarla por la fuerza.[30] Con esa intención, una mañana saltó la tapia[31] del jardín...

Yo le vi volver, después de una hora. Al acercarse a mí, exclamó con gran emoción:

«¡Es una santa; es Cristo quien habla por sus labios!»

Desde entonces, la observaba a usted de lejos, y al ver a los pobres que se arrodillaban en el suelo para besar sus pies, en su duro corazón entró el deseo de seguir el ejemplo de su cristiana bondad. Abandonó sus finos trajes y regaló sus joyas y dinero a los pobres. Me llevó con él a Huancavelica para expiar[32] con buenas obras todo el mal que habíamos hecho... ¡Por mi fe! ¡Yo nunca pude imaginar remordimiento[33] tan profundo! Dios perdone[34] sus pecados, y me dé tiempo para expiar los míos en esta santa casa.

—¿Y cómo murió?—volvió a preguntar la joven, sentándose en el banco.

—En el mes de agosto un indio, que sufría de un terrible dolor en los huesos,[35] fué compelido en Huancavelica a trabajar en una de las minas. El Caballero Trágico ocupó su lugar, y pasaba todos los días más de cinco horas dentro de la mina. Cogió de esa manera una fiebre[36] tan violenta, que en menos de una semana no podía moverse. Yo no sabía qué hacer, y por fin lo puse sobre una mula, y lo traje al convento[37] de esta iglesia donde, después de sufrir por largo

[29] **comulgar** to take communion
[30] **robar por la fuerza** to abduct, kidnap
[31] **tapia** wall
[32] **expiar** to atone for
[33] **remordimiento** remorse
[34] **Dios perdone** may God forgive
[35] **hueso** bone
[36] **la fiebre** fever
[37] **convento** monastery (*attached to church*)

tiempo, murió anoche,[38] inspirando a los frailes con palabras humildes y sublime fe. Y ahora debo decirle—añadió con voz temblando de emoción—que en sus últimos momentos pronunciaba el nombre de usted junto con el nombre de Cristo y de Nuestra Señora.

Rosa se acercó al ataúd. No había ninguna duda; se hallaba ante el cuerpo de aquel desconocido[39] que una mañana había saltado la tapia de su jardín, y a quien ella, sin darle tiempo para abrir sus labios, le había hablado sobre el divino y verdadero amor, con palabras inspiradas, sin duda, por el cielo. Fijó entonces sus ojos en el rostro del muerto, y al notar su expresión santa, ella comprendió que antes de cerrarse, aquellos ojos habían contemplado alguna visión gloriosa.

Dejó caer[40] una flor sobre su pecho.

El amanecer alumbraba el altar con la suave luz que bajaba de las altas ventanas, y parecía disolver la vieja niebla[41] de incienso que llenaba las naves de la iglesia.

Rosa se arrodilló devotamente y murmuró una oración por el alma de aquel muerto.

—Adapted from *La gloria de don Ramiro* by Enrique Rodríguez Larreta

[38] **anoche** last night
[39] **desconocido** stranger
[40] **dejar caer** to drop
[41] **niebla** haze, fog

COLONIAL SOCIETY

The first three centuries following the discovery of America saw the rise of a class society in the Spanish colonies, headed by the Spanish government officials and a privileged aristocracy of high birth or wealth. The *criollos* (those born in America of Spanish parents) were at first denied many of the rights and privileges of the Spaniards, but eventually acquired a great deal of wealth and economic power. The vast majority of the Indians were serf-like laborers on the large estates or in the mines, while Negro slaves were brought in to work on the coastal plantations.

At the head of this social order stood the viceroy, appointed by the king to represent the Crown in each of the viceroyalties of the New World, which in the first two centuries were New Spain (Mexico) and Peru. Some of the early viceroys, like Francisco de Toledo in Peru, distinguished themselves in fostering cultural as well as economic progress in the countries they ruled. Antonio de Mendoza, first viceroy of Mexico, introduced the printing press in 1535. Twenty-three universities had been established in Spanish America by the end of the colonial period.

The cultured Prince of Esquilache, viceroy of Peru, is the chief character of two *tradiciones* (the *tradición* is a sort of historical anecdote) by Ricardo Palma in which the gayer side of colonial life in Lima is presented by this popular Peruvian writer, whose witty style is unsurpassed in modern Spanish letters.

El virrey[1] poeta

I

Cómo el virrey poeta interpretó la justicia

Don Francisco de Borja, príncipe[2] de Esquilache, tenía treinta y dos años cuando Felipe III lo nombró virrey del Perú. En la corte criticaron[3] el nombramiento,[4] porque don Francisco hasta entonces sólo se había ocupado en escribir versos, en asuntos de amor y desafíos.[5] Pero Felipe III dijo:

—Es verdad que es el más joven de los virreyes que han ido a América: pero Esquilache tiene buena cabeza, y además, brazo fuerte.

El rey tenía razón. El Perú se hallaba en constante peligro de ser atacado por los piratas, y el viejo virrey Don Juan de Mendoza no tenía el vigor de un hombre joven para dirigir la defensa. El 22 de julio de 1615, varios barcos[6] piratas se habían acercado a la costa, y después de cinco horas de furioso combate, hundieron[7] varios barcos españoles y dieron muerte a los prisioneros.

En la ciudad de los Reyes reinaba un verdadero pánico, pues se temía que los piratas entraran en la ciudad en cualquier momento. Las iglesias se hallaban invadidas por una multitud de gente que imploraban la protección divina.

Pero los piratas se contentaron con disparar[8] sus cañones, y sus barcos salieron hacia el norte. Los cristianos habitantes de Lima creyeron que la salida de los piratas había sido un milagro realizado[9] por Santa Rosa, que murió dos años después, en 1617.

[1] **el virrey** viceroy
[2] **el príncipe** prince
[3] **criticar** to criticize
[4] **nombramiento** appointment
[5] **desafío** duel
[6] **barco** ship
[7] **hundir** to sink
[8] **disparar** to fire, shoot
[9] **realizar** to perform, carry out

El 23 de diciembre de 1615, entró en Lima el príncipe de Esquilache, habiéndose salvado providencialmente, en su viaje de Panamá al Perú, de caer en manos de los piratas.

El recibimiento[10] de este virrey, descendiente de San Francisco de Borja,[11] fué magnífico. 5

Su primer acto fué construir fortificaciones para la defensa de la costa, tan buenas, que los piratas no se atrevieron a atacar a Lima durante todo el tiempo que gobernó el país.

Luego don Francisco volvió su atención a la economía del país, e hizo sabias leyes para las minas de Potosí[12] y Huancavelica. 10 Hombre de letras, estableció la famosa Escuela del Príncipe, para la educación de los hijos de caciques indios; y no permitió la representación de comedias que no hubieran pasado antes por su censura.[13]

La censura del príncipe de Esquilache era puramente li- 15 teraria, y ciertamente el juez[14] no podía ser mejor. Entre los poetas españoles del siglo XVII, siglo que produjo a Cervantes, Calderón, Lope de Vega y Alarcón, el Príncipe de Esquilache es notable por el espíritu vivo y la forma correcta de sus versos. 20

Para dar idea del interés que Esquilache tenía por las letras, será suficiente señalar que, en Lima, estableció un club literario cuyas sesiones se celebraban los sábados en el palacio.

* * *

En la ciudad del Cuzco, hay una magnífica casa llamada la Casa del Almirante;[15] y parece que ese almirante era tan buen marinero como algunos que yo conozco que sólo han 25 visto el mar en pintura.[16] La verdad es que el título era hereditario y pasaba de padres a hijos.

La Casa del Almirante era obra extraordinaria. En el techo tallado[17] se halla el busto del primer almirante, don Manuel de Castilla, que la construyó. 30

[10] **recibimiento** reception
[11] **San Francisco de Borja** Saint Francis of Borgia (1510-1572)
[12] **Potosí** *fabulous colonial silver city in Upper Peru, now Bolivia*
[13] **censura** censorship
[14] **el juez** judge
[15] **el almirante** admiral
[16] **en pintura** in pictures
[17] **techo tallado** carved beams of the roof

Se cuenta de los Castilla, que eran muy orgullosos[18] de su aristocrático origen, que cuando rezaban[19] el Avemaría[20] usaban esta frase:

«Santa María, madre de Dios, nuestra parienta[21] y señora, ruega por nosotros.»[22]

El almirante, héroe de nuestra historia, tenía en el patio de la casa una magnífica fuente de piedra, a la que los vecinos venían a obtener agua, tomando literalmente el proverbio que dice agua y fuego a nadie se niegan.

Pero una mañana el almirante se levantó de muy mal humor,[23] y mandó a sus criados que azotaran[24] a cualquier persona que se atreviera a entrar en el patio a buscar agua.

Una de las primeras personas que azotaron fué una pobre vieja, lo cual produjo gran indignación en todo el pueblo.

Al día siguiente su hijo, que era un joven cura que servía en la iglesia de San Jerónimo, cerca del Cuzco, llegó a la ciudad y se enteró de la ofensa que su pobre madre había recibido. Se dirigió inmediatamente a la casa del almirante; y el aristocrático hombre lo insultó, y lo maldijo,[25] terminando por azotar cruelmente al cura.

La sensación que el asunto causó fué inmensa. Las autoridades no se atrevían a declararse abiertamente contra una persona tan eminente, y dejaron pasar el tiempo. Pero el orgulloso almirante fué excomulgado[26] por la iglesia.

El ofendido cura, pocas horas después de recibir el insulto, se dirigió a la Catedral y se arrodilló a rezar ante la imagen de Cristo, regalada a la ciudad por el emperador Carlos V. Al terminar su oración, dejó a los pies del Juez Supremo un papel declarando su queja[27] y demandando la justicia de Dios, convencido de que no la conseguiría de los hombres. Se dice que volvió a la Catedral al día siguiente, y recogió la queja en cuyo margen halló escrito lo siguiente:

[18] **orgulloso** proud
[19] **rezar** to pray, say (*a prayer*)
[20] **Avemaría** Hail Mary
[21] **el pariente** relative
[22] **ruega por nosotros** pray for us
[23] **de (mal) humor** in a (bad) humor
[24] **azotar** to whip
[25] **maldecir** to curse
[26] **excomulgar** to excommunicate
[27] **queja** complaint

«Como se pide: se hará[28] justicia.»

Y así pasaron tres meses, hasta que un día al amanecer se descubrió frente a la Casa del Almirante una horca,[29] y colgado de ella el cuerpo del excomulgado almirante. Nadie pudo descubrir los autores del crimen; aunque las sospechas,[30] 5 desde luego, cayeron sobre el cura. Sin embargo, éste, con numerosos testimonios, probó su inocencia.

En el proceso,[31] dos mujeres vecinas declararon que habían visto un grupo de hombres de cabeza muy grande y muy chicos de cuerpo, duendes,[32] preparando la horca; y que 10 cuando la horca había sido preparada, llamaron tres veces a la puerta de la casa. La puerta se abrió, y poco después el almirante salió en medio de los duendes, quienes sin más ceremonia, lo colgaron de la horca.

Con tales testimonios, la justicia, no pudiendo proceder 15 contra los duendes, tuvo que suspender el proceso.

El pueblo creyó implícitamente que los duendes habían dado muerte al excomulgado almirante. Sin embargo, se murmuraba[33] entre la gente que todo lo que había sucedido era obra de los jesuitas, para aumentar[34] el prestigio de la iglesia. 20

Las autoridades del Cuzco enteraron de todo al virrey, quien después de oír lo que había sucedido, le dijo a su secretario:

—¡Me gusta el tema[35] para un romance![36] ¿Qué crees tú, Estúñiga? 25

—Que su Excelencia debe reprender[37] a esos tontos oficiales[38] que no han podido hallar los autores del crimen.

—Y entonces se pierde la parte poética del asunto—respondió el príncipe de Esquilache, sonriendo.

—Es verdad, señor; pero se hará justicia. 30

El virrey estuvo pensando algunos segundos; y luego, levantándose de su asiento, dijo a su secretario:

[28] **se hará** will be done
[29] **horca** gallows
[30] **sospecha** suspicion
[31] **proceso** trial
[32] **el duende** elf, goblin
[33] **se murmuraba** it was gossiped
[34] **aumentar** to increase
[35] **el tema** theme, subject
[36] **el romance** ballad
[37] **reprender** to reprimand, scold
[38] **el oficial** official, officer

—Amigo mío, lo[39] hecho está bien hecho; y el mundo estaría mejor si, en ciertos casos, los que administran justicia no fuesen jueces, sino duendes. Y ahora, buenas noches; Dios nos guarde y nos libre de duendes y remordimientos.

II

Una aventura de amor

5 El bando de los vicuñas,[40] llamado así por el sombrero de vicuña que usaban, iba perdiendo la guerra civil de Potosí contra sus enemigos, los vascongados.[41] Éstos dominaban por el momento, porque tenían la protección del corregidor[42] de Potosí, don Rafael Ortiz de Sotomayor.

10 En 1617 el virrey, príncipe de Esquilache, escribió a Ortiz de Sotomayor una carta sobre asuntos de gobierno, la cual, más o menos, decía:

> Mi buen don Rafael: La rebelión de Potosí es un escándalo público, y ha llegado el momento de emplear medidas[43] severas. 15 Así es que pongo en sus manos este asunto. Siendo usted hombre valiente y astuto, sabrá resolverlo, pues esta rebelión parece obra del diablo, y podría extenderse por otras partes del país. Contésteme que usted ha puesto fin[44] a la guerra civil, y no otra cosa.[45]

Amigo de los vascongados, Ortiz de Sotomayor creyó que 20 la carta del virrey lo autorizaba a proceder con severidad; y una noche hizo prender[46] y dar muerte a don Alonso Yáñez y a ocho o diez de los principales vicuñas.

Cuando al amanecer, los vicuñas encontraron a sus compañeros muertos, asaltaron la casa del corregidor, quien tuvo 25 que tomar refugio en una iglesia. Mas temiendo la justa venganza[47] de sus enemigos, montó a caballo y vino a Lima, protestando que sólo había cumplido las instrucciones del

[39] **lo (hecho)** what's (done)
[40] **bando de los vicuñas** Vicuña Party
[41] **vascongados** Basques (*so called because of their Basque origin*)
[42] **el corregidor** corregidor, provincial governor
[43] **medida** measure
[44] **poner fin** to put an end to, stop
[45] **no otra cosa** nothing else
[46] **prender** to seize, arrest; **hizo . . . Yáñez** he had don Alonzo Yáñez seized and put to death
[47] **venganza** vengeance

virrey, que como hemos visto no era verdad, pues su Excelencia no lo autorizaba en su carta para dar muerte a nadie.

Tras Ortiz de Sotomayor llegaron a Lima muchos de los vicuñas.

* * *

El Jueves Santo del año 1618 se celebraba en Lima con gran solemnidad. Su Excelencia don Francisco de Borja, príncipe de Esquilache, salió del palacio a visitar las principales iglesias de la ciudad.

Cuando salía de la iglesia de Santo Domingo, donde había rezado tan devotamente como era digno de un pariente de San Francisco de Borja, se fijó en una bella dama[48] seguida de una esclava que la acompañaba. La dama le dió al virrey una magnética mirada,[49] y don Francisco, sonriendo, la miró también poniéndose la mano sobre el corazón.

Mucho se murmuraba en Lima de la buena fortuna de su Excelencia en asuntos de amor. Galante, valiente y generoso, don Francisco de Borja era el tipo perfecto de aquellos caballerosos hidalgos[50] que sacrificaban la vida por su rey y por su dama.

En las demás iglesias que visitó, el virrey siempre encontró a la dama, y se repitió el mismo cambio de sonrisas y miradas.

Al verla en la última iglesia, el príncipe, inclinándose[51] hacia su paje,[52] le dijo rápidamente:

—Jeromillo, tras de aquella columna hay caza.[53] Síguela.

Parece que Jeromillo era muy astuto en estos asuntos, pues cuando su Excelencia llegó al palacio, ya lo esperaba el paje.

—Y bien, Mercurio,[54] ¿quién es ella?—le dijo el virrey, quien como todos los poetas de su siglo, se interesaba en la mitología.

—Este papel perfumado lo dirá a su Excelencia—contestó el paje, entregándole una carta.

[48] **dama** lady
[49] **magnética mirada** enticing look
[50] **caballerosos hidalgos** knights of chivalry
[51] **inclinarse** to lean over
[52] **el paje** page
[53] **caza** game
[54] **Mercurio** Mercury (*messenger of the gods*)

—¿Carta tenemos? ¡Ah, Jeromillo! Vales más de lo que pesas en oro, y tengo que inmortalizarte en unos versos.

Y acercándose a una lámpara, leyó:

Siendo el señor cristiano
5 y de un santo descendiente,
que ha ayunado[55] es evidente.
Pues besar quiere mi mano,
según su fina expresión,
si es que a más no se propasa,[56]
10 honrada estará mi casa,
si viene a tomar colación.[57]

La misteriosa dama, sabiendo que el virrey era poeta, empleó la lengua de Apolo.[58]

—¡Ah! Muy sabia es la dama—exclamó don Francisco. —
15 Jeromillo, mi capa, y dame la dirección de esa diosa.

Media hora después, el virrey se dirigía a la casa de la dama.

* * *

Doña Leonor Vasconcelos, bella española y viuda[59] de Alonso Yáñez, una de las víctimas del corregidor de Potosí,
20 había venido a Lima resuelta a vengar[60] a su marido, y ella era la que, haciendo uso de la artillería de Cupido, invitaba a su casa al virrey del Perú. Para doña Leonor, el príncipe de Esquilache era el verdadero asesino[61] de su esposo.

El frecuente ruido de pasos de hombres en el patio y en el
25 interior de la casa despertó cierta alarma en el espíritu atrevido del virrey. Ya don Francisco había pasado media hora en conversación con la dama, cuando ésta le dijo su nombre, tratando de traer la conversación a lo que había sucedido en Potosí; mas el astuto príncipe evadía el tema.
30 Un hombre tan astuto como el príncipe de Esquilache no

[55] **ayunar** to fast
[56] **si es que a más no se propasa** if he doesn't take any other liberties
[57] **la colación** light refreshment (*taken after a day of fasting during Lent*)
[58] **Apolo** Apollo (*god of poetry*)
[59] **viuda** widow
[60] **vengar** to avenge
[61] **asesino** murderer

Réplica de
la carabela
Santa María
de Cristóbal Colón

El gran templo de Tenochtitlán

India de Guatemala tejiendo

Patio del
palacio colonial
de Torre Tagle
en Lima

Iglesia y
convento de
Santo Doming
de Lima

Estatua del Libertador, Simón Bolívar

necesitaba otra cosa para comprender que le habían tendido un lazo,[62] y que estaba en una casa que probablemente era por esa noche el sitio de reunión[63] de los vicuñas, de cuya animosidad contra él tenía ya alguna sospecha.

Llegó el momento de tomar la colación prometida, que consistía de una bebida hecha de frutas, y pan dulce.[64] Al sentarse a la mesa, el virrey cogió un jarro de fino cristal que contenía un delicioso vino de Málaga, y dijo:

—Siento, doña Leonor, no tomar tan excelente Málaga, mas he jurado[65] sólo beber un magnífico vino de mis tierras en España.

—El señor puede satisfacer su gusto. Será fácil enviar uno de mis criados a traerlo del palacio.

—Eso es mi propósito, mi distinguida amiga.

Y volviéndose a uno de los criados, le dijo:

—Mira, tú. Ve al palacio, pregunta por mi paje Jeromillo, dale esta llavecita, y dile que me traiga las dos botellas de vino que encontrará en la alacena[66] de mi habitación. No olvides el recado,[67] y toma esta moneda[68] de oro para pan dulce.

El criado salió corriendo, y Esquilache continuó con aire festivo:[69]

—Tan exquisito es mi vino, que tengo que encerrarlo en mi propia habitación; pues mi secretario Estúñiga tiene, en cuestiones de vino, muy buen gusto, y el hábito de no dejar ninguna botella sin probar.[70]

El virrey confiaba su salvación a la inteligencia de Jeromillo.

Cuando Jeromillo, que no era ningún tonto, recibió el recado, en seguida comprendió que el príncipe de Esquilache se hallaba en grave peligro. La alacena de la habitación no contenía nada más que dos magníficas pistolas que Felipe III

[62] **tender un lazo** to set a trap
[63] **la reunión** meeting
[64] **pan dulce** sweet rolls
[65] **jurar** to swear
[66] **alacena** cupboard; closet
[67] **recado** message
[68] **moneda** coin
[69] **festivo** gay, witty
[70] **sin probar** untasted

había regalado a don Francisco el día en que éste se había despedido del monarca para venir a América.

Por fortuna,[71] la casa de la dama se hallaba muy cerca del palacio y pocos minutos después, el capitán de la guardia
5 con varios soldados prendían a seis de los vicuñas, que habían conspirado para matar al virrey, o para obtener por la fuerza alguna concesión contra los vascongados.

Don Francisco, con su irónica sonrisa, dijo a la dama:

—Señora mía, su red[72] era de seda,[73] y no debe sorprenderla
10 que el león la haya roto.

Y volviéndose al capitán de la guardia, añadió:

—Don Jaime, deje a esos hombres en libertad.[74] Y usted, señora mía, no me tome por un criminal. El príncipe de Esquilache jura, que si mandó poner fin a la guerra civil de
15 Potosí con las armas de la ley, no autorizó a nadie para cortar cabezas que no estaban sentenciadas.

* * *

Un mes después, doña Leonor y los vicuñas tomaban de nuevo el camino de Potosí; pero la misma noche en que salieron de Lima, el cuerpo del corregidor Ortiz de Sotomayor
20 se encontró en una callejuela,[75] con un puñal[76] en el pecho.

—Adapted from *Tradiciones peruanas* by Ricardo Palma

[71] **por fortuna** fortunately
[72] **la red** net
[73] **era de seda** was made of silk
[74] **dejar en libertad** to free, release
[75] **callejuela** narrow street
[76] **el puñal** dagger

THE IDEAL OF INDEPENDENCE

Toward the close of the eighteenth century, dissatisfaction with the economic and political absolutism of Spain and the abuses of many of the Spanish government officials was strongly felt in Spanish America. Discontent was especially strong among the *criollos,* who notwithstanding their Spanish parentage were excluded from important government positions because of their American birth. Under their leadership, the movement for Spanish American independence grew rapidly, spurred by the liberal political doctrines of the French Revolution and the influence of the newly won independence of the United States.

In 1810, revolution broke out simultaneously on three fronts: Mexico, where the village priest Miguel Hidalgo led a band of ragged Indians in revolt; Argentina, where the May revolution brought concessions to the demands of the people of Buenos Aires; and Venezuela, where a proclamation foreshadowed the freedom to be won by five South American countries.

Simón Bolívar, son of a wealthy Venezuelan family, had become imbued with liberal ideas of self-government and freedom during his travels in Europe and the United States. Soon after the outbreak of revolution in South America, he returned to become its leader and eventually the liberator of a great part of the continent. Bolívar is today revered as the greatest of Spanish American heroes.

El libertador[1]

Al tiempo que Napoleón, el genio de la guerra, se coronaba[2] emperador de Francia, se hallaba en Europa un hijo del Nuevo Mundo. Ese americano[3] se llamaba Simón Bolívar.[4]

La gran tierra americana, por trescientos largos años cautiva[5] de España, al fin da el primer grito de independencia. Aquel grito, que quería decir:[6] «¡Americanos, despertad! ¡Americanos, a las armas!» llegó a Bolívar. Él se cree llamado por el Nuevo Mundo que pone en sus manos su destino, y cruza los mares a tomar lo que le corresponde[7] de peligro y de gloria.

Bolívar era uno de los oficiales más jóvenes cuando empezó a comandar el ejército;[8] pero comenzó a dirigirlo como general viejo y experto en los asuntos de la guerra. Aunque todos sus compañeros de armas deseaban la independencia de su patria, cada uno quería tener para sí la gloria de obtenerla. Pero Bolívar era un hombre de firme voluntad, y no podían oponerse a su genio y su fuerza.

Lo que en otros era esperanza, en Bolívar era convicción, aun en los tiempos más adversos. Seguro de que[9] luchaba[10] por el bien de una gran parte de la raza humana, no dudaba de la victoria.

Una vez se hallaba gravemente enfermo. El ejército español era formidable: quince mil hombres de los que habían vencido y echado de España a los ejércitos de Napoleón,[11] bien armados y valientes, con mil victorias.

[1] **libertador** liberator
[2] **coronar** to crown
[3] **americano** (Spanish) American
[4] *Bolívar was born in Venezuela in 1783.*
[5] **cautivo** captive
[6] **querer decir** to mean
[7] **lo que le corresponde** his share
[8] **ejército** army
[9] **seguro de que** sure that
[10] **luchar** to fight
[11] *Napoleon invaded Spain in 1808 and placed his brother, Joseph Bonaparte, on the throne, but in 1814 the French were driven out.*

—¿Qué piensa hacer su Excelencia?—pregunta un oficial.

—Vencer—responde el héroe.

Bolívar, al frente de[12] sus soldados, sólo vivía para la emancipación de su patria, llamando así una gran parte de los habitantes de Sud América. 5

¿Qué hizo el general español con los quince mil valientes soldados que trajo al Nuevo Mundo? Expedición formidable: de oficiales, de soldados, y de recursos,[13] lo mejor. Y a pesar de ello, fueron vencidos por el genio de Bolívar y el valor de los llaneros[14] que eran sus soldados. Se cuenta que el general 10 español, reprendido por el rey de España, contestó:

—Déme cien mil llaneros, y marcharé victorioso por toda Europa.

Los llaneros estaban acostumbrados al duro trabajo; para ellos, luchar contra los españoles era cosa fácil. Su lanza y 15 su caballo, nada más necesitaba el invencible llanero: provisiones, jamás las llevaba; sueño, según lo permitía el negocio de la guerra. Los españoles poseían la ciencia de la guerra, disciplina, orgullo[15] de las victorias obtenidas en Europa. Los republicanos[16] tenían más inspiración que arte 20 de guerra, y les faltaban municiones; pero tenían amor a la libertad y brazo fuerte. Estimaban la vida poco; la honra, mucho.

La batalla de Boyacá[17] aseguró la libertad de Colombia. El general español con casi todos sus oficiales y gran parte 25 del ejército español fueron hechos prisioneros, no sin mostrar en el combate el bien conocido valor de los españoles.

Colombia ya estaba libre, pero Venezuela luchaba todavía, y su gran hijo, Bolívar, acude allá. Tres ejércitos españoles rodean a los republicanos en Venezuela. Bolívar llega, y la 30 guerra se hace intensa y terrible.

Allí está Bolívar, en Carabobo,[18] al frente de su ejército.

[12] **al frente de** leading, commanding
[13] **recursos** resources, means
[14] **llanero** (*Venezuelan*) *cowboy*
[15] **orgullo** pride
[16] **republicanos** republicans (*those fighting for independence from Spain*)
[17] **batalla de Boyacá** battle of Boyacá (*fought in 1819 near Bogotá, Colombia*)
[18] **Carabobo** *site of battle of 1821*

Los cerros han sido tomados por el enemigo. Los españoles marchan hacia el llano,[19] y la batalla comienza. Muchos de los republicanos mueren; son uno contra ciento.

Los españoles atacan con violencia, en numerosos batallones. 5 Bolívar, su espada[20] en alto, vuela en su caballo brioso.[21] Su espíritu invencible llena todo aquel campo de batalla, inspirando a sus soldados, que avanzan,[22] devolviendo[23] el fuego de los españoles, que por fin huyen ante los republicanos victoriosos.

10 Esta batalla aseguró la emancipación de Venezuela, y desde entonces la resistencia de los españoles en América fué reducida. Mientras tanto,[24] el general Sucre ganaba la independencia del Ecuador, y una nación más obtuvo un asiento entre las naciones libres del mundo.

15 La independencia del Ecuador, Venezuela y Colombia estaba ganada; pero Bolívar tiene más que hacer: pues mientras hay en el Nuevo Mundo una nación esclava, su trabajo no se ha concluido. Sale de Venezuela y se dirige por mar a ayudar al Perú a ganar la libertad.

20 Por fin, la batalla de Ayacucho[25] puso fin a la guerra de la emancipación en Sud América. Se fundaron dos naciones más, el Perú y Bolivia. Bolívar entonces regresó[26] a Colombia.

El tiempo de los favores había concluido, y empezó el de 25 la ingratitud. Cuando su espada no fué necesaria, cayó su poder. Y cinco repúblicas hispanoamericanas[27] estaban ahí declarando que debían la existencia al hombre a quien algunos acusaron de aspirar a la corona.

A orillas[28] del Atlántico, en una casa humilde, murió Bolí- 30 var casi en la necesidad. Pero la riqueza es como un deshonor

[19] **llano** plain
[20] **espada** sword
[21] **brioso** spirited
[22] **avanzar** to advance, go forward
[23] **devolver** to return
[24] **mientras tanto** meanwhile
[25] **Ayacucho** *town in southern Peru, near which the decisive battle was fought in 1824*
[26] **regresar** to return
[27] **hispanoamericano** Spanish American
[28] **orilla** bank, shore; **a orillas** by the shores

en los hombres que viven para lo bueno, y mueren dejando el mundo lleno de su gloria.

Si Bolívar hubiera sido naturalmente ambicioso, su buen juicio le hubiera hecho volver su pensamiento a cosas de más importancia que una corona. Rey es cualquier hijo de la fortuna: conquistador[29] es cualquier hombre fuerte; libertadores son hombres enviados de la Providencia.

* * *

Wáshington y Bolívar

La fama de Wáshington no depende tanto de sus victorias militares, como del éxito[30] de la obra que realizó con tan buen juicio. La fama de Bolívar trae consigo el ruido de las armas; Wáshington se presenta a la imaginación como gran ciudadano antes que[31] como gran general.

Wáshington y Bolívar tenían el mismo propósito: la ambición de cada uno era asegurar la libertad de una nación y establecer la democracia. En las grandes dificultades que el uno tuvo que vencer, y la facilidad[32] con que el otro obtuvo el éxito de su obra, ahí está la diferencia de esos dos grandes hombres. Bolívar, en varias ocasiones durante la guerra, no tuvo recursos, ni sabía dónde ir a buscarlos. Pero su amor por la patria y su firme voluntad inspiraban los medios de hacer posible lo imposible.

Wáshington estaba rodeado de hombres tan ilustres[33] como él mismo: Jéfferson, Mádison, Franklin. Y éstos y todos los demás estaban unidos en la causa, cada uno poniendo su esfuerzo en vencer los ejércitos y destruir[34] el poder inglés. Bolívar tuvo que dominar a sus oficiales y a sus propios compatriotas,[35] a la vez que luchaba contra los ejércitos españoles. Wáshington fundó una república que ha venido a ser des-

[29] **el conquistador** conqueror
[30] **éxito** success
[31] **antes que** rather than
[32] **la facilidad** ease
[33] **ilustre** illustrious, distinguished
[34] **destruir** to destroy
[35] **el compatriota** countryman

pués de pocos años una de las mayores naciones del mundo. Bolívar también fundó una gran nación, la Gran Colombia,[36] pero la vió destruida por sus compatriotas que pensaban más en su propia ambición que en el bien de su patria.

5 Wáshington no acepta el tercer período[37] presidencial de los Estados Unidos, y como un patriarca se retira a vivir tranquilamente la vida privada, gozando del respeto de sus compatriotas. Bolívar sucumbe a la tentación de aceptar la presidencia de la Gran Colombia por tercera vez, y muere 10 despreciado[38] por muchos de sus compatriotas. Pero el tiempo nos ha hecho olvidar estos hechos, y hoy no vemos más que la gloria que rodea al más grande de los sudamericanos.

Wáshington y Bolívar, gloria del Nuevo Mundo, honor de la raza humana junto con los más ilustres hombres de todas las naciones y de todos los tiempos.

—ADAPTED FROM *Los héroes de la emancipación* BY JUAN MONTALVO

[36] **la Gran Colombia** *present-day Venezuela, Colombia, and Ecuador*

[37] **período** term

[38] **despreciar** to scorn

UNFRIENDLY NATURE

From earliest times, Spanish America has been engaged in a constant struggle to overcome unfavorable geographical conditions. In many sections, mountain, desert, and jungle form natural obstacles which have hindered communication and retarded economic progress. The cordillera of the Andes, with its lofty snow-covered peaks, extends the entire length of the South American continent, forming a tremendous natural barrier. In countries such as Mexico, where the people depend principally on agriculture for their living, deserts and mountains make most of the land unsuitable for this purpose. On a large part of the western coastal plain of South America, rain seldom falls; while the great Amazon River and its tributaries flow through an immense unpopulated region covering parts of several countries, most of it a hot, rain-soaked jungle: the largest tropical forest in the world.

The first visitors to America returned to Europe with enthusiastic descriptions of immense green forests which they compared to emeralds. But early explorers of the Amazon region, and later the rubber tappers who had to clear their way with axes and machetes through the thick tropical jungle, came to regard it as a green hell filled with fevers, insects, poisonous plants, and wild beasts.

This immense unconquered frontier of civilization forms the background for the Colombian writer José Eustasio Rivera's novel of the jungle—*La vorágine*—a whirlpool which sucks men into its depths. The following selection has been adapted from *La vorágine.*

Los fugitivos

El viejo don Clemente Silva como rumbero[1] era un genio.

—Sin embargo—me dijo,—una vez estuve perdido más de dos meses en la selva del Yaguanarí.[2]

—Sí, recuerdo muy bien esa historia.

5 —Éramos siete caucheros[3] que huíamos...

—Y quisieron matarlo...

—Sí, creían que yo los extraviaba[4] intencionalmente.

—Y a veces lo maltrataban[5]...

—Y después se arrodillaban pidiéndome que los salvara.[6]

10 —Y lo ataron[7] una noche entera...

—Y, por fin, se separaron[8] y se fueron en busca del rumbo[9]...

—Pero sólo hallaron el rumbo de la muerte.

Don Clemente sufrió ocho años buscando a su hijo, que 15 muy joven había huido a la selva. Trabajando allí como cauchero, el joven pronto descubrió que era casi imposible librarse de los empresarios.[10] Cada cauchero tenía una cuenta con el empresario en la que éste le cargaba a precios altísimos la comida, la ropa, y todo lo que necesitaba, mientras que le 20 pagaba la goma[11] que recogía a un precio muy bajo. Así muchos de estos infelices pasaban la vida como esclavos, no pudiendo jamás pagar su cuenta para conseguir la libertad.

Después de varios años de esfuerzos inútiles para encontrar al hijo en la inmensa selva, con la esperanza de pagarle la 25 cuenta y llevarlo otra vez a casa, don Clemente un día se

[1] **rumbero** pathfinder, guide
[2] **selva del Yaguanarí** Yaguanarí jungle (*lying between the Negro and Amazon rivers*)
[3] **cauchero** rubber gatherer
[4] **extraviar** to mislead, lead astray
[5] **maltratar** to abuse, mistreat
[6] **pidiéndome . . . salvara** begging me to save them
[7] **lo ataron** they tied you up
[8] **separarse** to part
[9] **rumbo** way, route
[10] **empresario** rubber contractor
[11] **le pagaba la goma** he paid him for the rubber

enteró de que lo había matado un árbol, y que estaba enterrado cerca del río Vaupés.[12] Juró entonces buscar los huesos de su hijo querido para enterrarlos al lado de los de su esposa. Con ese fin trató de conseguir trabajo cerca del Vaupés, pero no tuvo éxito. 5

Por fin fué a trabajar a una hacienda a orillas del río Negro. Allí, al principio, lo trataban muy bien. Pero una vez, riñeron unas criadas en el patio de la casa y despertaron a su amo, que dormía la siesta. Don Clemente se hallaba en el corredor[13] de la casa, estudiando el mapa de la pared. Así lo sorprendió 10 el amo y le mandó azotar a las mujeres. El viejo Silva no quiso cumplir la orden. Esa misma tarde lo mandaron a la selva del Yaguanarí, al otro lado del río, a trabajar como cauchero.

Una de las mujeres había conocido a su hijo, Luciano Silva. No lo vió muerto, pero sabía donde estaba la sepultura,[14] allá 15 en la remota selva, marcada con cuatro piedras, y le había dicho a don Clemente donde podía encontrarla. La desobediencia de don Clemente no salvó a la criada de la furia del amo, quien la azotó hasta cubrirla de sangre. Llorando, la mujer escribió una carta a su novio, que era capataz[15] de los 20 caucheros, y rogó a don Clemente que se la entregara.[16]

El capataz, que se llamaba Manuel Cardoso, se puso furioso al saber lo que había sucedido. Para vengarse del[17] amo, empezó a aconsejar[18] a los caucheros que huyeran con la goma que había en el tambo.[19] Pero cuando el viejo Silva 25 conversaba con los hombres sobre la idea del capataz, siempre le respondían:

—Cardoso sabe que no hay rumbero capaz de cruzar la selva.

Sin embargo, por tener algo de que hablar, los caucheros 30 frecuentemente conversaban sobre la idea de escaparse.

[12] **río Vaupés** Vaupés River (*tributary of the Negro River, part of the great Amazon River system*)
[13] **el corredor** hall
[14] **sepultura** grave
[15] **el capataz** overseer, foreman
[16] **que se la entregara** to give it to him
[17] **vengarse de** to get even with, get revenge on
[18] **aconsejar** to advise
[19] **tambo** main shack (*of rubber gatherers' colony*)

—Es claro que sería imposible huir por el Río Negro. Las lanchas del amo nos prenderían en seguida.

—¿Y por la selva, no hay rumbo directo al río Vaupés?

—¿Por la selva? ¿Quién puede pensar en tal cosa?

5 El tambo se hallaba a orillas del Río Negro. Todos los meses la lancha de la hacienda llegaba a recoger la goma y a dejar provisiones. Los caucheros eran pocos y las fiebres reducían el número, sin contar los que morían en las ciénagas.[20] Muchos pasaban meses enteros sin ver la cara del capataz, y volvían 10 al tambo con la goma ya convertida en duros bolones[21] que entregaban a la corriente del río, en vez de llevarlos en las canoas.

Una mañana, al amanecer, ocurrió una catástrofe. Los hombres que se hallaban en el tambo oyeron unos gritos y 15 acudieron a la orilla. Los bolones de goma bajaban por el río, y detrás de ellos venía un cauchero en una pequeña canoa dirigiéndolos con un palo.[22] Frente al tambo, empezó a gritar:

—¡Tambochas,[23] tambochas! ¡Y los caucheros están aisla- 20 dos! [24]

¡Tambochas! Esto significa dejar el trabajo, hacer caminos de fuego,[25] buscar algún refugio. Era la invasión de millones de hormigas[25a] carnívoras, tan grandes como avispas,[26] que llenan la selva con ruidos como de fuego, inspirando terror, 25 devorando plantas, pájaros, ratas, reptiles, y haciendo huir a hombres y animales.

La noticia produjo pánico entre los hombres del tambo.

—¿Y de qué lado vienen?—preguntaba Manuel Cardoso.

—Vienen por ambas orillas.

30 —¿Y cuáles caucheros quedan aislados?

—Los cinco de la ciénaga de «El Silencio», que ni siquiera tienen canoa.

[20] **ciénaga** swamp
[21] **el bolón** big ball
[22] **palo** pole
[23] **tambocha** (carnivorous) army ant
[24] **aislar** to isolate, cut off
[25] **hacer caminos de fuego** throwing up barriers of fire
[25a] **hormiga** ant
[26] **avispa** wasp

—¿Y qué podemos hacer? ¡Sería imposible ayudarlos! ¿Quién se expondría a perderse[27] en estas ciénagas?

—¡Yo!—dijo el viejo Clemente Silva.

Y un joven que se llamaba Lauro Coutiño:

—¡Yo iré también! ¡Mi hermano está allá! 5

* * *

Recogiendo todas las provisiones y armas que pudieron, los dos amigos partieron del tambo hacia la ciénaga de «El Silencio». Marchaban ligero por el lodo,[28] con el viejo delante, abriéndose paso por las malezas.[29] De pronto Lauro Coutiño lo detuvo: 10

—¡Ha llegado el momento de huir!

—Sería necesario consultar a los caucheros—respondió don Clemente.

—Yo le aseguro que podemos contar con ellos.

Y así fué. Al día siguiente los hallaron en su choza. 15

—¿Hormigas? ¡Nos reímos de las tambochas! ¡A huir! ¡Un rumbero como usted, don Clemente, es capaz de sacarnos del infierno!

Y allá van a través de la selva, con la ilusión de la libertad, riendo y hablando de futuros planes, alabando al rumbero 20 y prometiéndole su amistad, su gratitud. Lauro Coutiño ha cortado una hoja de palma y la lleva en alto como una bandera. Sosa Machado no quiere abandonar su bolón de goma, que pesa más de diez y ocho kilos,[30] con el producto[31] del cual piensa adquirir las caricias[32] de una mujer blanca y 25 rubia.[33] El italiano Peggi habla de ir a alguna ciudad a conseguir trabajo en algún hotel donde hallará buena comida y muchas propinas.[34] Coutiño, el hermano mayor, quiere casarse con una moza rica. El indio Venancio desea dedicarse a hacer canoas. Pedro Fajardo aspira a comprar una casita 30

[27] **se expondría a perderse** would risk getting lost
[28] **lodo** mud
[29] **abriéndose . . . malezas** clearing his way through the thicket
[30] **kilo** kilo (*2.2 lbs.*)
[31] **producto** proceeds
[32] **caricia** caress
[33] **rubio** blond
[34] **propina** tip

para su madre ciega. Don Clemente Silva sueña con hallar una sepultura. Es la procesión de los infelices, que parte de la desgracia y llega a la muerte.

Al cuarto día de selva, comenzó la crisis: las provisiones 5 empezaron a acabarse,[35] y las ciénagas eran infinitas. Se detuvieron a descansar. Sosa Machado, a quien la fatiga había hecho generoso, con el machete[36] dividió su bolón de goma en varios pedazos, para regalarlos a sus compañeros. Fajardo no quiso aceptar su parte. No tenía fuerzas para cargarla. 10 Sosa la recogió. Era *oro negro,* y no debía despreciarse.

Alguien preguntó:

—¿A dónde vamos ahora?

Todos le respondieron:

—¡Adelante!

15 Mientras tanto, el rumbero había perdido la orientación.[37] Pero seguía marchando, sin detenerse. No quería decir nada para no asustar a los otros. Tres veces en una hora salió a la misma ciénaga, pero sus compañeros no la reconocieron. Hizo un esfuerzo para recordar el mapa que había estudiado tantas 20 veces allá en la hacienda, y veía las líneas tortuosas[38] que indicaban los ríos sobre la verde región que representaba la selva. ¡Quién creería que aquel pequeño papel representaba regiones tan inmensas, selvas tan obscuras, ciénagas tan mortales! [39] Y él, experto rumbero, que tan fácilmente movía el 25 dedo de una línea a otra, siguiendo los ríos en el mapa, ¿cómo pudo creer que sus pies eran capaces de moverse como su dedo?

Mentalmente empezó a rezar. ¡Si Dios le prestara[40] el sol!... ¡Pero no! ¡El sol no sale para los infelices!

30 Uno de los caucheros de pronto dijo que le parecía que oía gritos. Todos se detuvieron. No oyeron nada. Estaban nerviosos, tenían el presentimiento de una catástrofe.

Sosa Machado abandonó la goma. Hablaron un rato.

[35] **acabarse** to run out
[36] **el machete** machete (*large heavy knife*)
[37] **la orientación** (his) bearings
[38] **tortuoso** winding, twisting
[39] **mortal** deadly
[40] **si Dios le prestara** if only God would let him see

El viejo Silva, deteniéndose de pronto, levantó los brazos y volviéndose hacia sus amigos, tristemente les confesó:

—¡Estamos perdidos!

En seguida el infeliz grupo, con los ojos hacia las ramas de los árboles, empezó a gritar maldiciones[41] y oraciones: 5

—¡Dios inhumano! ¡Sálvanos, mi Dios! ¡Estamos perdidos!...

* * *

«¡Estamos perdidos!» Estas dos palabras, tan sencillas, cuando se pronuncian en la selva despiertan en el espíritu un miedo incomparable. Ante los que escuchan estas palabras, 10 aparece la selva como la hambrienta[42] boca del infierno. Ni las lágrimas del rumbero, que prometía hallar el rumbo otra vez, lograron calmar a sus compañeros. Sus labios se llenaban de acusaciones:

—¡Este viejo tiene la culpa![43] ¡Perdió el rumbo porque 15 quería irse para el Vaupés!

—¡Viejo malo, nos llevabas a vendernos como esclavos, Dios sabe dónde!

—¡Sí, sí, criminal! ¡Dios se opuso a tus planes!

Viendo que aquellos locos podían matarlo, el viejo Silva 20 se echó a correr,[44] pero tropezó con[45] un árbol y cayó al suelo. Allí lo ataron, allí Peggi quería matarlo. Fué entonces cuando don Clemente pronunció aquella frase de tanto efecto:

—Hombres, ¿quieren matarme? ¿Cómo podrían encontrar el rumbo sin mí? ¡Yo soy la esperanza! 25

Los hombres de pronto se contuvieron.

—¡Sí, sí! ¡Es preciso que viva[46] para que nos salve!

—¡Pero sin soltarlo, pues se nos escapará!

Y aunque no lo soltaron, se arrodillaron a implorarle que los salvara, y le cubrían los pies[47] con besos y lágrimas. 30

[41] **la maldición** curse

[42] **hambriento** hungry

[43] **tiene la culpa** is to blame

[44] **echarse a (correr)** to start (running)

[45] **tropezar con** to run into, trip over

[46] **es preciso que viva** it is necessary for him to live

[47] **le cubrían los pies** they covered his feet

—¡No nos abandone!

—¡Si usted nos abandona, moriremos de hambre!

Don Clemente procuró calmarlos. No debían perder el ánimo[48] a la primera dificultad, cuando había tantos modos de resolverla. Y, ¿por qué se ponían a gritar? ¿Quién sino el jaguar correría a buscarlos? ¿Acaso les gustaría aquella visita? Esto los asustó y resolvieron callarse.

Antes del anochecer,[49] fué preciso encender el fuego, porque entre las selvas la tarde es obscura. Luego cortaron ramas, y poniéndolas sobre la húmeda[50] tierra, se sentaron alrededor del viejo Silva a esperar la noche. ¡Oh, la tortura de pasar la noche con hambre, sabiendo que tendrían que sufrir aun más el día siguiente!... ¡Perdidos!... ¡Perdidos!...

Don Clemente buscaba alguna idea. Sólo el cielo podría indicarle la orientación. ¡Si supiera de qué lado sale el sol! ¡Eso le bastaría para calcular[51] un nuevo rumbo. ¡Ver el sol! ¡Ver el sol! ¡Eso sería su salvación!... Y, pensando en Dios, comenzó a rezar una oración.[52]

Subir a cualquiera de aquellos árboles gigantes era casi imposible: los troncos eran tan grandes, y las ramas tan altas. ¡Pero si Lauro Coutiño se atreviera!... Iba a llamarlo, pero se contuvo. Oyó un ruido raro, como de ratas que roían[53] en madera. Eran los dientes de sus compañeros, que roían duras semillas.

Don Clemente sintió por ellos tal compasión, que resolvió darles esperanza diciéndoles una mentira.

—¡Estamos salvados!—les dijo.

Llenos de alegría, todos repitieron la misma frase: «¡Salvados!... ¡Salvados!...» Y arrodillándose en el lodo, empezaron a dar gracias a Dios, sin preguntar en qué consistía la salvación.

Abrazaron a don Clemente; le pidieron perdón.[54] Algunos querían atribuirse el mérito[55] del milagro:

[48] **ánimo** courage
[49] **el anochecer** nightfall
[50] **húmedo** damp
[51] **calcular** to figure out
[52] **rezar una oración** to say a prayer
[53] **roer** to gnaw
[54] **le pidieron perdón** they begged him to forgive them
[55] **atribuirse el mérito de** to take credit for

—¡Las oraciones de mi madre!

—¡Las misas[56] que ofrecí!

Mientras tanto, la Muerte se reía en la obscuridad.

* * *

Nerviosos, tristes, se resignaron a esperar el amanecer. Empezó a llover.[57] Entonces decidieron regresar. Siguieron las huellas que sus pies habían dejado el día anterior. Marcharon en silencio hasta cerca de las nueve de la mañana, cuando ocurrió algo extraño: grupos de conejos[58] corrían entre sus piernas[59] buscando refugio. Momentos después, se oía un ruido como un torrente de agua que venía por la vasta selva.

—¡Dios mío![60] ¡Las tambochas!

Entonces sólo pensaron en huir. Se metieron en[61] una ciénaga con el agua hasta el cuello. Desde allí vieron pasar las primeras tambochas. Sobre la ciénaga caían los fugitivos insectos, mientras que las orillas se llenaban de reptiles. La invasión avanzaba por tierra, mientras que los árboles se cubrían de tambochas que subían furiosamente hacia las ramas. Algún pájaro, algún reptil, alguna rata eran víctimas de aquel ejército de tambochas, que entre los gritos de los animales los devoraban.

¿Cuánto tiempo[62] duró la tortura de aquellos hombres? Enterrados en el lodo hasta el cuello, observaban con ojos llenos de terror al enemigo que pasaba y pasaba y volvía a pasar.

Cuando creían que las últimas tambochas habían pasado, trataron de salir a tierra; pero sus piernas estaban paralizadas, sin fuerzas para salir del lodo, donde se habían enterrado vivos.

Mas no debían morir allí. Era preciso hacer un esfuerzo. El indio Venancio por fin logró cogerse[63] de unas plantas y trató de salir a tierra. Varias tambochas le roían las manos.

—¡Otra vez! ¡Ánimo! ¡Ánimo!

[56] **misa** Mass
[57] **llover** to rain
[58] **conejo** rabbit
[59] **pierna** leg
[60] **Dios mío** good Lord, good heavens
[61] **meterse en** to get into
[62] **cuánto tiempo** how long
[63] **cogerse (de)** to catch hold (of), grasp

¡Ya salió!

Jadeando,[64] oyó a sus compañeros implorando ayuda.[65]

—¡Déjenme descansar!

Una hora después, con la ayuda de unos palos, logró sacarlos a todos. Ésta fué la última vez que sufrieron juntos.

* * *

¿Qué rumbo debían tomar ahora? Coutiño, el mayor, obligó a su hermano a subir a un árbol altísimo para observar el movimiento del sol.

El infeliz joven en vano trató de pegarse[66] al tronco gigante. Lo pusieron sobre las espaldas, para que se cogiera de arriba.[67] Repitió el esfuerzo, pero cayó al suelo y tuvo que comenzar de nuevo. Los que estaban abajo lo ayudaban sosteniéndolo con unos palos. Al fin alcanzó la primera rama del árbol. Brazos y pecho estaban cubiertos de sangre.

—¿Ves algo? ¿Ves algo?—le preguntaban. Y con un movimiento de la cabeza, decía que no.

—¿No ves nada? ¡Hay que subir más y observar bien!

Lauro jadeaba sin responderles. Había subido tan alto que parecía un mono[68] que trataba de ocultarse entre las ramas.

—¡Cobarde![69] ¡Hay que subir más!—le gritaban furiosos.

Mas, de pronto, el joven trató de bajarse. Otro grito de furia sonó desde abajo. Lauro, lleno de terror, les contestaba:

—¡Vienen más tambochas!... ¡Vienen más tambo... !

No pudo terminar la palabra, porque el otro Coutiño con un tiro de rifle lo hizo caer como una pelota.[70]

El asesino se quedó mirándolo con horror.

—¡Ah, Dios mío, maté a mi hermano, maté a mi hermano!

Y, arrojando el rifle, se echó a correr. Cada uno corrió sin saber a dónde. Y se separaron para siempre.

Noches después, don Clemente Silva los oyó gritar, pero temió que lo mataran. También había perdido la compasión,

[64] **jadear** to pant
[65] **ayuda** help
[66] **pegarse** to cling
[67] **para . . . arriba** so that he might catch hold higher up
[68] **mono** monkey
[69] **el cobarde** coward
[70] **caer como una pelota** to plunge to the ground

también la selva lo poseía. Sólo pensaba en su propia suerte. A pesar de todo, regresó a buscarlos. Halló los huesos.

Sin fuego ni rifle, vagó[71] dos meses entre las selvas, como un idiota, despreciado por la muerte, comiendo plantas como los animales. 5

Sin embargo, una mañana de pronto tuvo una revelación. Se detuvo ante una palma de *cananguche*,[72] que según dicen, sigue el movimiento del sol como el girasol.[73] Nunca había pensado en aquel misterio. Estuvo observándola largo tiempo y le pareció que las altas hojas se movían lentamente[74] de un 10 lado al otro. ¿Sería verdad que esa palma, como un dedo señalando hacia el azul, le estaba indicando la orientación? Verdad o mentira,[75] él la oyó hablar. ¡Y creyó! Lo que necesitaba era creer. Y por el rumbo seguido por las hojas de la palma, comenzó a calcular el suyo. 15

Así fué como poco después llegó a orillas del Tiquié.[76] Las aguas de ese pequeño río estaban tan tranquilas que tuvo que tirarle hojitas para ver en qué dirección corría. Así lo hallaron unos caucheros y lo llevaron a su choza.

—¿Quién es ese espantajo? [77]—preguntaron sus compañeros. 20

—Un fugitivo que sólo sabe decir: «¡Coutiño!... ¡Peggi!... ¡Sosa Machado!...»

De allí, al fin de un año, huyó en una canoa para el Vaupés.

—ADAPTED FROM *La vorágine* BY JOSÉ EUSTASIO RIVERA

[71] **vagar** to roam, wander
[72] **palma de cananguche** *species of wild palm*
[73] **el girasol** sunflower
[74] **lento** slow
[75] **verdad o mentira** true or false
[76] **Tiquié** *narrow, winding tributary of the Vaupés River*
[77] **espantajo** scarecrow

REVOLUTION

Model democratic constitutions were adopted by the new Spanish American republics after independence had been won. But lack of experience in self-government for many years kept the Spanish Americans from achieving a true democratic system. Elections were frequently farces, with the winner holding office only until the defeated candidate could obtain enough backing to stage a successful revolt. Legislative and judicial powers, so dear to a democratic people, were set aside at will by the winning "strong man," and the illiterate poverty-stricken masses of the people became tools in the hands of selfish leaders.

In recent years, many countries like Uruguay, Chile, Costa Rica, and Mexico, have achieved a large measure of democracy. But in the political turmoil of the first century after independence, revolution was in many instances the only practical means by which a change of government could be accomplished. It may be noted that the 1910-1920 revolution in Mexico, which at first seemed to be mainly a struggle for power among its leaders, did have the ultimate effect of bringing stability to the country and raising the standard of living.

The following pages from *Los de abajo* (*The Underdogs*), by Mariano Azuela, pictures the downtrodden masses of Mexico in the early twentieth century, tossed about like dry leaves in the hurricane of revolution and used to serve the greedy motives of their leaders.

Los de abajo

—Antes de la revolución[1]—dijo Demetrio Macías, jefe[2] de la pequeña banda de guerrilleros[3]—tenía yo hasta mi tierra preparada para sembrar,[4] y si no hubiera sido por la disputa que tuve con don Mónico, el cacique[5] de mi pueblo, ahora yo ya estaría sembrando mi tierra. 5

Yo soy de Limón, allá en la sierra. Tenía mi casa, mis vacas[6] y un pedazo de tierra; es decir, que nada me faltaba. Pues, señor, nosotros los campesinos[7] tenemos la costumbre de bajar al pueblo cada semana. Uno oye su misa, oye el sermón, luego va a la plaza, y compra todo lo que necesita. 10 Después uno entra en la tienda de Primitivo López con sus amigos a tomar una copita;[8] a veces uno toma demasiado, y ríe, grita y canta. Todo está bueno, porque uno no ofende a nadie. Pero hay veces que alguien quiere abusar de uno... Y sí, señor; uno se enfada,[9] y sale el puñal, sale la pistola... 15 ¡Y luego huimos a la sierra hasta que el muerto se olvida!

¿Qué pasó con don Mónico? Pues, una escupida[10] en la cara por molestarme y nada más... Bueno; don Mónico fué en persona a Zacatecas[11] para acusarme ante el gobierno. Dijo que yo era revolucionario y que iba a levantarme[12] 20 contra los federales.[13] Pero un amigo me enteró de ello y cuando los soldados del gobierno llegaron a Limón, yo ya había huido. Después me siguió mi amigo Anastasio, quien había dado muerte a alguien; y luego Pancracio, Codorniz,

[1] **la revolución** *Mexican Revolution of 1910*
[2] **el jefe** chief, leader; boss
[3] **guerrillero** guerrilla fighter
[4] **sembrar** to plant, sow
[5] **el cacique** political boss
[6] **vaca** cow
[7] **campesino** country fellow
[8] **copa** glass, drink (*of liquor*)
[9] **enfadarse** to get angry
[10] **escupida** spit
[11] **Zacatecas** *capital of the state of Zacatecas, Mexico*
[12] **levantarse** to take up arms
[13] **los federales** Federals, government forces

Venancio el barbero y muchos otros se unieron a[14] nuestra banda, y ya usted ve: luchamos como podemos.

—Mi jefe—dijo Luis Cervantes, un joven periodista[15] que acababa de unirse a los guerrilleros de Macías—usted sabe que cerca de aquí, en el pueblo de Fresnillo, está el general Natera[16] con su ejército, y sería mejor unirnos a ellos, antes de que tomen Zacatecas.

—A mí no me gusta estar bajo las órdenes de nadie—respondió Macías.

—Pero usted, solo con unos pocos hombres, no será más que un jefe de guerrilleros sin ninguna importancia. Cuando la revolución esté ganada, van a decirle: «Amigo, muchas gracias; ahora regresen a sus casas...»

—Yo no quiero otra cosa, sino que me dejen volver a mi casa en paz.

—No he terminado: «Ustedes, que me levantaron a la presidencia de la República, exponiendo la vida,[17] ahora que he conseguido mi objeto, regresen a sus tierras a trabajar, pobres, con hambre y sin ropa, como estaban antes, mientras que nosotros los de arriba[18] hacemos varios millones de pesos.»

—¡Luisito ha dicho la pura verdad!—exclamó el barbero Venancio.

—Como yo decía—continuó Luis Cervantes,—usted es generoso, y dice: «Mi única ambición es volver a mi casa.» Pero, ¿será justo abandonar a la patria en estos momentos solemnes en que va a necesitar todo el sacrificio de sus hijos humildes para no dejarla caer de nuevo en manos de sus eternos enemigos, los caciques?

—¿Entonces, será mejor ir con Natera, curro?[19]—preguntó Macías.

—No sólo mejor—aseguró Venancio,—sino necesario, Demetrio.

—Mi jefe—continuó Cervantes,—usted no comprende to-

[14] **unirse a** to join

[15] **el periodista** journalist, newspaper man

[16] **Pánfilo Natera** *Mexican general, follower of the revolutionary leader, Pancho Villa*

[17] **exponiendo la vida** risking your lives

[18] **los de arriba** higher-ups

[19] **curro** dude

davía su verdadera, su alta y noble misión. Usted, hombre modesto y sin ambiciones, no quiere ver su importante papel en esta revolución. Es mentira que usted se haya levantado por don Mónico, el cacique de su pueblo; usted se ha levantado contra todos los caciques que destruyen la nación. Somos parte de un gran movimiento social, instrumentos del destino para la defensa de los sagrados derechos del pueblo. Eso es lo que se llama luchar por principios, tener ideales. Por ellos luchan Villa y Natera; por ellos estamos luchando nosotros.

—¡Qué bien explica usted las cosas, curro!—dijo Demetrio. —¡Qué bueno es saber leer y escribir!

—Entonces, ¿cuándo vamos a unirnos al ejército del general Natera?—preguntó Venancio.

—Iremos mañana—dijo Demetrio sin vacilar.[20]

* * *

Demetrio llegó con cien hombres al pueblo de Fresnillo el mismo día que el general Natera marchaba con sus fuerzas contra Zacatecas.

Éste recibió a Demetrio muy cordialmente.

—¡Ya sé quién es usted! ¡Ya tengo noticias de sus victorias sobre los federales!

Natera efusivamente[21] estrechó la mano[22] de Macías, y éste oyó a Natera varias veces llamarle «mi coronel».

Hubo vino y cerveza.[23] Luis Cervantes brindó[24] «por el triunfo[25] de nuestra causa, que es el triunfo sublime de la Justicia».

Uno de los oficiales de Natera se había acercado al grupo, mirando con insistencia a Luis Cervantes. Era un joven alegre y cordial.

—¿Luis Cervantes?

—¡El señor Solís!

[20] **vacilar** to hesitate
[21] **efusivo** warm
[22] **estrechar la mano (de)** to shake hands (with)
[23] **cerveza** beer
[24] **brindar (por)** to drink a toast (to)
[25] **triunfo** triumph

—Desde que entraron ustedes me pareció que yo lo conocía... ¿Desde cuándo es usted revolucionario?

—Hace dos meses.

—¡Ah, con razón[26] habla todavía con ese entusiasmo y esa fe que todos nosotros poseemos al principio! [27]

—¿Se ha cansado usted, pues, de la revolución?—preguntó Luis Cervantes.

—¿Cansado?... Tengo veinticinco años y, usted lo ve, perfecta salud... ¿Desilusionado? Tal vez.

Bebió otro vaso de vino, y después de una larga pausa continuó:

—¿Quiere usted saber por qué entonces continúo en la revolución? La revolución es como el huracán, el hombre que se entrega[28] a ella ya no es hombre, es como una hoja seca arrebatada[29] por el viento...

Demetrio Macías, acercándose, interrumpió a Solís.

—Vámonos, curro...

Alberto Solís, con aparente sinceridad profunda, alabó a Macías efusivamente por sus victorias, por sus aventuras que le habían hecho famoso, siendo conocidas hasta por los soldados del general Pancho Villa.

Y Demetrio, encantado,[30] oía la relación de sus triunfos, tan transformados que él mismo no los reconocía. Todo aquello sonaba tan bien a sus oídos que acabó por[31] creer que habían ocurrido así.

—¡Qué simpático[32] es el general Natera!—observó Luis Cervantes al salir con Demetrio. —En cambio, ese capitán Solís... ¡qué lata! [33]

Demetrio Macías, sin escucharlo, muy contento, lo tomó por un brazo y le dijo en voz baja:

—Ya soy coronel de veras, curro... Y usted, mi secretario...

Los hombres de Macías también hicieron muchos amigos nuevos esa noche, y con ellos bebieron mucho. Como no todo

[26] **con razón** no wonder
[27] **al principio** at first
[28] **entregarse** to surrender
[29] **arrebatar** to snatch away
[30] **encantado** delighted
[31] **acabo por (creer)** he ended up (believing)
[32] **simpático** nice
[33] **¡qué lata!** what a bore!

el mundo resulta ser buen amigo, y a veces el alcohol es mal consejero,[34] naturalmente hubo algunas diferencias; pero todo se arregló en buena forma y fuera de la cantina,[35] sin molestar a los amigos.

A la mañana siguiente se hallaron algunos muertos. Anastasio informó a su jefe, y éste, alzando los hombros,[36] dijo: 5

—¡Psch!... Pues entiérrenlos.

* * *

—¡Ahí vienen los revolucionarios!—exclamaron asustados los habitantes de Fresnillo cuando supieron que el asalto a Zacatecas había sido un fracaso.[37] 10

Volvían los hombres sucios,[38] sus cuerpos cubiertos de harapos,[39] con grandes sombreros de hoja de palma que les ocultaba la mitad del rostro.

Regresaban tan alegremente como habían marchado al combate días antes, saqueando[40] cada pueblo, cada hacienda, 15 y hasta la choza más miserable que encontraban en su camino.

—¿Quién quiere comprar esta máquina de escribir? [41]—preguntaba uno, cansado de cargar lo que había robado.

Era una máquina de escribir nueva, que a todos llamó la atención. En una sola mañana, había tenido cinco dueños, 20 comenzando por valer[42] diez pesos; pero su precio había bajado de uno a dos pesos con cada cambio de dueño. La verdad era que pesaba demasiado, y nadie podía cargarla más de media hora.

—Doy veinticinco centavos por ella—ofreció Codorniz. 25

—Es tuya—respondió el dueño.

Codorniz, por veinticinco centavos, tuvo el gusto de tomarla en sus manos y arrojarla contra las piedras, donde se rompió con gran ruido.

Fué como una señal:[43] todos los que llevaban objetos 30

[34] **consejero** counselor
[35] **cantina** bar
[36] **alzar** to raise, lift; **alzar los hombros** to shrug
[37] **fracaso** failure
[38] **sucio** dirty
[39] **harapos** rags
[40] **saquear** to loot, plunder
[41] **máquina de escribir** typewriter
[42] **por valer** by being worth
[43] **la señal** signal

pesados[44] comenzaron a arrojarlos contra las piedras. Platos de porcelana, grandes espejos,[45] finas estatuas, todos quedaron hechos pedazos[46] por el camino.

Demetrio, que no sentía la misma alegría, completamente contraria al resultado de las operaciones militares, llamó a Anastasio y a Pancracio a un lado y les dijo:

—A éstos les falta nervio.[47] No es tan difícil tomar un pueblo.

—¡Ésa es la pura verdad!... ¡A éstos les falta nervio!

* * *

¡Viene Villa!

La noticia se propagó[48] como un rayo.

¡Ah, Villa!... La palabra mágica. El Gran Hombre; el guerrero[49] invencible.

—¡Nuestro Napoleón mexicano!—exclama Luis Cervantes.

—Sí, el Águila Azteca[50]—dijo en tono irónico[51] Alberto Solís.

Los dos, sentados en una cantina, bebían cerveza.

Y comiendo y bebiendo sin cesar, los hombres de Natera sólo conversaban de Villa y sus tropas.

¡Oh, Villa!... ¡Las victorias de Ciudad Juárez, Chihuahua, Torreón! Villa es el invencible señor de la sierra; la eterna víctima de todos los gobiernos, que lo persiguen[52] como a una fiera.[53] Villa es el bandido-héroe, que pasa por el mundo con el gran ideal: ¡robar a los ricos para hacer ricos a los pobres! Y los pobres crean una leyenda, que con el tiempo se hace más bella y vive de generación en generación.

—Pero les aseguro, amigos,—dijo uno de los soldados de

[44] **pesado** heavy
[45] **espejo** mirror
[46] **quedaron hecho pedazos** were broken to bits
[47] **a éstos les falta nervio** these fellows lack nerve
[48] **propagarse** to spread
[49] **guerrero** warrior
[50] **Águila Azteca** Aztec Eagle (*the emblem of Mexico is the eagle on a cactus devouring a serpent*)
[51] **en tono irónico** in an ironic tone of voice
[52] **perseguir** to pursue
[53] **fiera** wild beast

Natera,—que si usted agrada[54] al general Villa, le regala una hacienda; pero si lo enoja...[55] ¡le manda fusilar! [56]

¡Ah, las tropas de Villa! Hombres del norte, muy bien vestidos, con anchos sombreros tejanos,[57] uniforme nuevo de kaki, zapatos de cuatro dólares[58] de los Estados Unidos. 5

Y cuando los hombres de Natera decían esto, se miraban tristemente, fijándose en sus viejos sombreros de hoja de palma, y los harapos que medio cubrían sus cuerpos sucios.

—Porque allí no hay hambre... Traen trenes enteros de armamentos, y comida para todo el mundo. 10

Luego hablaban de los aeroplanos de Villa.

—¡Ah, los aeroplanos! Imagínese usted un pájaro grande, muy grande, que aparece de pronto en el cielo. Y aquí está lo mejor: dentro de ese pájaro, traen miles de granadas.[59] ¡Figúrese! Como se echa maíz a las gallinas, echan granadas 15 al enemigo... Y el lugar se convierte en un cementerio: muertos por todas partes.[60]

Y como Anastasio Montañés preguntó si los soldados de Natera habían peleado[61] ya juntos con los de Villa, se dieron cuenta de[62] que todo lo que estaban contando con tanto en- 20 tusiasmo, lo sabían solo de oídas,[63] pues ninguno de ellos jamás había visto la cara de Villa.

* * *

Ya no se oía el ruido de los fusiles.[64] Luis Cervantes se atrevió a asomar la cabeza de detrás de la tapia de adobe donde estaba oculto, en medio de las ruinas de unas fortifi- 25 caciones en lo alto del cerro.

Apenas se daba cuenta de cómo había llegado allí. No supo cuándo Demetrio y sus hombres desaparecieron de su lado.

[54] **agradar** to please
[55] **enojar** to anger, make angry
[56] **fusilar** to shoot; **le manda fusilar** he'll have you shot
[57] **sombreros tejanos** Texan hats, Stetsons
[58] **zapatos de cuatro dólares** four-dollar shoes
[59] **granada** hand grenade
[60] **por todas partes** everywhere
[61] **pelear** to fight
[62] **darse cuenta de** to realize
[63] **de oídas** from hearsay
[64] **el fusil** gun, rifle

De pronto se encontró solo, sin fusil, ni revólver, en medio del blanco humo[65] y del silbido[66] de las balas.[67] Y aquella tapia de adobe le había servido como protección segura.

—¡Compañero!...

—¡Compañero!...

—Me tiró el caballo; me creyeron muerto y me robaron mis armas... ¿Qué podía yo hacer?—explicó tristemente Luis Cervantes.

—Yo estoy aquí por precaución... ¿sabe?... —dijo Alberto Solís en tono festivo.

Y después de un instante, continuó:

—¡Caramba![68] ¡Qué valiente es su jefe! Mire, compañero; voy a explicarle. Vamos allí, detrás de aquella peña.[69] Note que por ese lado es tan difícil subir al cerro, que dar un solo paso falso es rodar[70] y matarse sobre las rocas. Algunos de nosotros habíamos avanzado hasta el pie del cerro. El combate era ya general; hubo un momento en que los federales dejaron de tirarnos. Entonces avanzamos hacia las fortificaciones en lo alto del cerro. ¡Ah, compañero, fíjese! El cerro está cubierto de muertos. Las ametralladoras[71] lo hicieron todo; sólo unos pocos pudimos escapar. Los generales vacilaban en dar órdenes para un nuevo ataque con las nuevas tropas que llegaron. Entonces fué cuando Demetrio Macías, sin esperar órdenes de nadie, gritó:

«¡Arriba,[72] muchachos!...»

«¡Arriba, arriba!» gritaron sus hombres, siguiendo tras él sobre las rocas, hombres y caballos a la vez. Demetrio disparaba las ametralladoras sin cesar. Nos aprovechamos de la confusión en esos momentos, y arrojamos al enemigo de sus posiciones con la mayor facilidad. ¡Ah, qué valiente es su jefe!

En medio del humo blanco de los fusiles y las negras nubes de los edificios incendiados,[73] se distinguían en el claro sol

[65] **humo** smoke
[66] **silbido** whistle, whistling
[67] **bala** bullet
[68] **¡caramba!** gosh! golly!
[69] **peña** boulder
[70] **rodar** to roll, tumble
[71] **ametralladora** machine gun
[72] **¡arriba!** foward! up and at 'em!
[73] **incendiado** burning

casas de grandes puertas y numerosas ventanas, todas cerradas, y las torres de las iglesias que surgían sobre los techos.

—¡Qué hermosa es la Revolución, aun en su barbarie! [74]—declaró Solís.

* * *

La mujer de Demetrio Macías, loca de alegría,[75] salió a encontrarlo por el camino de la sierra, llevando de la mano al niño. 5

¡Casi dos años sin ver a su marido!

Se abrazaron y permanecieron callados;[76] ella lloraba.

Demetrio, sorprendido, miraba a su mujer que le parecía más vieja, como si ya hubieran pasado diez o veinte años. Luego miró al niño, y quiso abrazarlo; pero el muchacho se ocultó muy asustado detrás de su madre. 10

—¡Es tu padre, hijo!... ¡Es tu padre!...

Demetrio, que había bajado de su caballo, marchaba a pie con su mujer y su hijo por el abrupto[77] camino de la sierra. 15

—¡Gracias a Dios[78] que al fin viniste!... ¡Ya nunca nos dejarás! ¿Verdad? [79]... ¿Verdad que ahora vas a quedarte con nosotros?...

El rostro de Demetrio se puso triste, y los dos permanecieron callados. 20

Una nube negra aparecía detrás de la sierra, y la lluvia comenzó a caer. Tuvieron que meterse bajo un árbol, cuyas blancas flores parecían estrellas sobre sus cabezas. Abajo, en el fondo de la barranca y a través de la lluvia, se veían las altas palmas que movían sus ramas lentamente en el viento. Y todo era sierra: cerros y más cerros rodeados de montañas[80] tan altas que su azul se perdía en el azul del cielo. 25

—¡Demetrio, por Dios!... ¡No te vayas! [81]... ¡El corazón me dice que ahora va a sucederte algo!... 30

Y se echa a llorar de nuevo.

[74] **la barbarie** barbarity, inhumanity
[75] **loca de alegría** wild with joy
[76] **callado** silent
[77] **abrupto** rugged
[78] **gracias a Dios** thank Heaven
[79] **¿verdad?** isn't it so?
[80] **montaña** mountain
[81] **no te vayas** don't go away

El niño, asustado, se echa a llorar también, y ella tiene que contener sus lágrimas para calmarlo.

La lluvia va cesando; un pájaro cruza la barranca, y de pronto aparece un rayo de sol a través de las nubes.

5 —¿Por qué pelean todavía, Demetrio?

Demetrio toma una piedra y la arroja al fondo de la barranca. Se queda pensativo[82] viéndola rodar, y dice:

—Mira esa piedra, cómo ya no se para...

* * *

Fué una verdadera mañana de bodas. Había llovido toda 10 la noche y el cielo parecía vestido de blancas nubes.

Los soldados que marchan por el abrupto camino de la sierra sienten la alegría de la mañana. Nadie piensa en la bala que puede estar esperándolo más adelante;[83] los soldados cantan, ríen y conversan alegremente. No les importa saber[84] 15 a dónde van y de dónde vienen; lo importante es caminar,[85] caminar siempre, no detenerse jamás.

Los hombres de Macías se callan un momento. Parece que han oído un ruido bien conocido: el ruido lejano[86] de una explosión; pero pasan algunos minutos y nada vuelve a oírse.

20 —En esta misma sierra—dice Demetrio, —yo, sólo con veinte hombres, matamos a más de quinientos federales... ¿Se acuerda, amigo Anastasio?

Y cuando Demetrio comienza a contar aquella famosa historia, los hombres se dan cuenta del grave peligro en que 25 se encuentran. ¿Si[87] el enemigo estuviera oculto entre las malezas de aquella barranca, por cuyo fondo van marchando? Pero ¿quién iba a mostrar su miedo? ¿Cuándo dijeron los hombres de Demetrio Macías: «por aquí no caminaremos»?

Y cuando comienza un tiroteo[88] lejano, donde va la van-30 guardia, ni siquiera se sorprenden. Varios de los hombres huyen buscando la salida de la barranca.

[82] **pensativo** thoughtful, absorbed
[83] **más adelante** farther on
[84] **no les importa saber** they don't care to know
[85] **caminar** to travel, walk
[86] **lejano** distant
[87] **si** what if
[88] **tiroteo** firing

Una maldición se escapa de los labios de Demetrio:

—¡Fuego!... ¡Fuego sobre los que corren!...

—¡Arriba, muchachos!—grita después.

Pero el enemigo, oculto entre las malezas, dispara sus ametralladoras, y los hombres de Demetrio caen como hierba cortada por la hoz.[89]

Demetrio llora de furia y de dolor cuando Anastasio cae de su caballo, y permanece inmóvil[90] en el suelo. Venancio cae a su lado, con el pecho horriblemente abierto por la ametralladora. De pronto Demetrio se encuentra solo. Oye el silbido de las balas en sus oídos. Se baja del caballo, se arrastra[91] por el suelo hasta que encuentra una roca detrás de la cual pueda colocar la cabeza, y comienza a disparar.

El enemigo, persiguiendo a los fugitivos que están ocultos entre los árboles, no lo ve.

Demetrio apunta[92] y no yerra un solo tiro[93]... ¡Paf!... ¡Paf!... ¡Paf!...

Su éxito lo llena de alegría; donde pone el ojo pone la bala.

* * *

El humo de los fusiles aun no ha desaparecido. Las palomas[94] cantan dulcemente; las vacas comen tranquilamente entre las rocas. La sierra está lindísima; sobre las montañas cae la niebla como un velo blanco sobre la cabeza de una novia.

Y al pie de una peña inmensa y magnífica como la entrada de una vieja catedral, Demetrio Macías, con los ojos fijos[95] para siempre, sigue apuntando con su fusil...

—ADAPTED FROM *Los de abajo* BY MARIANO AZUELA

[89] **la hoz** sickle
[90] **inmovil** motionless, still
[91] **arrastrarse** to crawl
[92] **apuntar** to aim
[93] **no yerra un solo tiro** doesn't miss a single shot
[94] **paloma** dove
[95] **fijos** staring

THE DICTATOR

Frequent revolutions after independence prepared the way in Spanish America for the *caudillo,* or dictator. Wearied of unsettled conditions, the people longed for order, and were willing to accept dictatorship as a means of obtaining some measure of political and economic stability.

The *caudillo* has often been a general like Perón of Argentina, Anastasio Somoza of Nicaragua (shot to death in 1956), or Trujillo of Santo Domingo, who, although at first legally elected president, managed to continue in office by means of craft and military force. Several Spanish American dictators have been able to remain in power for long periods of time. Francia, for example, ruled Paraguay with an iron hand for nearly thirty years; Porfirio Díaz of Mexico held continuous power for twenty-seven years; and Rosas kept Argentina in a reign of terror for most of the seventeen years he was absolute ruler of that country.

While ruling as an absolute tyrant and denying the most fundamental rights of the people, the dictator often would pay lip service to democracy, assuming such titles as "Presidente Constitucional de la República" or "Benefactor de la Patria." He would run the country as he would his private estate, in some cases managing it with considerable efficiency, making a display of public works, roads, and ornate buildings.

The following selection, adapted from a short story by the Guatemalan writer Rafael Arévalo Martínez, presents a ruthless Central American dictator whose peculiar psychological twist of mind resembles that of a wild beast.

La fiera del trópico

Un hombre saltó a uno de los carros[1] del tren en marcha[2] unos momentos antes de llegar a la estación de la linda ciudad de Heliópolis.[3] Mi compañero de viaje,[4] un gordo comerciante[5] español que durante todo el viaje me divirtió con su conversación, ahora al ver a aquel hombre se calló, temeroso,[6] e inclinándose hacia mí, me dijo en voz baja:

—Es don José Vargas, Presidente de este país de Orolandia.

En cuanto oí este nombre, aumentó mi interés. Durante el viaje, yo había oído varias historias en que él era el héroe. Mi compañero de viaje me había contado que aquel hombre obligó a un pariente suyo a salir del país, huyendo de la despótica autoridad del dictador. Me refirió tantos insultos sufridos por su pariente, que comprendí su justa indignación. No me sorprendió: ya yo sabía que en la República de Orolandia los derechos del hombre no estaban garantidos. La vida y la propiedad[7] dependían no sólo del Presidente de la República, sino de cualquier insignificante miembro[8] de la policía pública o secreta.

Pero ya se acercaba el señor Vargas, y mi compañero se encerró en un silencio en que había tanto odio[9] como miedo. Vargas, sin parecer fijarse en el español, se sentó a mi lado, frente a mi compañero. Entonces éste, después de saludarlo con mucho respeto, como el tren ya iba a detenerse en la estación, se levantó y se dirigió hacia una de las puertas del carro.

[1] **carro** car, coach
[2] **en marcha** moving
[3] **Heliópolis** *capital of Orolandia, fictitious Central American republic*
[4] **compañero de viaje** traveling companion
[5] **el comerciante** merchant
[6] **temeroso** fearful, afraid
[7] **la propiedad** property
[8] **miembro** member
[9] **odio** hate

Vargas entonces se volvió hacia mí.

—Ese hombre, ¿le habló mal de mí?

—No, señor. Él no me ha hablado de usted. Pero muchas otras personas sí.[10]

5 —¿Qué le han dicho?

—Mucho bien, señor; pero mucho mal también.

Yo miraba a ese hermoso ejemplar[11] de la raza humana, de ojos claros y pelo casi rubio. Llevaba con tanta elegancia su ropa blanca de habitante de un país tropical, que muy bien 10 podría pasar por un monarca. Sobre su mano derecha brillaba[12] un solitario[13] de gran precio. Era evidente que aquel hombre era el señor de aquellas tierras como los tigres de Bengala[14] son señores de las tierras a orillas del río Ganges.

—¿Qué dicen de mí?—repitió el Presidente.

15 —Dicen que es la primera vez que el país es gobernado por un hombre que no roba; y dicen que el estado goza de mayor prosperidad económica. Dicen que en esta ciudad capital de Heliópolis se han construido magníficos edificios y espléndidas calles, y buenos caminos en todo el país; y que 20 la instrucción pública es mucho mejor. Dicen, por último, y esto es lo que alaban más, que su mano de hierro ha garantido por primera vez la propiedad y la vida, castigando[15] a ladrones[16] y asesinos.

—Bien; pero, entonces, ¿de qué me acusan?

25 —Al decir que usted ha garantido la vida, esto sólo se afirma de una manera relativa, pues dicen que la vida de un cerdo[17] yanqui en Chicago vale más que la de un ser[18] humano bajo su poder... Dicen que todos sus enemigos han tenido que huir del territorio que usted gobierna. Lo acusan, en fin, de ser 30 fríamente cruel como un tigre...

Apenas había pronunciado las últimas palabras, comprendí

[10] **muchas otras personas sí** many other persons have
[11] **el ejemplar** specimen, example
[12] **brillar** to shine
[13] **solitario** solitaire, diamond ring
[14] **Bengala** Bengal (*region of India crossed by the great Ganges River*)
[15] **castigar** to punish
[16] **el ladrón** thief
[17] **cerdo** pig
[18] **el ser** being

que había cometido un gran error. Los viajeros[19] ya habían salido del carro. El Presidente se levantó, sin responderme, y se paseó de un extremo a otro en el ancho Pullman. Y entonces comprendí que yo había soltado un tigre en el carro. Comprendí claramente que yo había cometido el error de 5 entrar solo en la jaula[20] de un tigre.

El dictador, paseando en el carro, que me daba la sensación de una jaula, me inspiraba, a pesar de mi miedo, una admiración irresistible.

—¿Con que,[21] un tigre, señor? 10

—Su Excelencia—contesté,—yo creo que el tigre es un animal noble. ¡Escuche! Dejé mi cartera[22] en San Felipe... Tengo hambre... Le ruego que me invite a un buen almuerzo,[23] un almuerzo digno de usted.

—¿Con que, un buen almuerzo...? Venga usted conmigo. 15

* * *

Fuimos al mejor hotel. Apenas llegamos, rodeó la mesa un grupo de sus satélites.[24]

—Señores, los invito a comer.

Una invitación del señor Vargas era una orden. Todos aceptamos. Entonces el Presidente, dirigiéndose a mí: 20

—¿Bien, señor Ardens? Usted me pidió un buen almuerzo. Veremos lo que este pobre país de Orolandia puede ofrecerle.

Dijo esto con el mismo tono de voz con que el dueño de una factoría pudo decir: «veremos lo que mi pobre establecimiento[25] puede ofrecerle». Para el señor Vargas, todo el país 25 era su propiedad particular.

Acordándome de que yo era agente del cognac Hine, decidí aprovechar aquella magnífica ocasión para anunciar mi producto. Pero nunca me atrevía a esperar los fabulosos resultados que obtuve. 30

—Su Excelencia, señores, antes de empezar esta deliciosa

[19] viajero traveler, passenger
[20] **jaula** cage
[21] **con que** so
[22] **cartera** billfold
[23] **almuerzo** lunch
[24] **el satélite** follower, henchman
[25] **establecimiento** establishment

sopa de tortuga,[26] permítanme ofrecerles una copa de un magnífico cognac, el cognac Hine, del cual soy agente. Vienen varias cajas que ya deben estar en la estación. Pero a una palabra de nuestro distinguido amigo el Presidente, las traerían en pocos minutos. Yo quiero hacer mi modesta contribución a esta espléndida fiesta.

Una sonrisa asomó a los labios del dictador, que parecía visiblemente halagado.[27] Un mozo salió corriendo. Pocos minutos después llegaban cinco cajas del cognac Hine.

Hasta el Presidente mismo probó el delicioso néctar. Al tomar una segunda copa, dijo semiburlonamente:[28]

—¿Con que usted es agente del cognac Hine, señor Ardens? Usted hace muy bien en no olvidar nunca el negocio. Me gustaría ser presidente de este país con la misma eficiencia con que usted es agente del cognac Hine. Me gusta ayudar a hombres como usted.

Y volviéndose hacia uno de los mozos:

—Hágame el favor[29] de llamar al dueño del hotel.

El dueño acudió en seguida. El Presidente mismo propuso el negocio por mí.

—El señor Ardens es agente de un magnífico cognac, señor Rivas. Pruébelo usted... ¿Es exquisito, verdad? Mis amigos y yo, desde este instante, sólo beberemos cognac Hine. ¿No es verdad, señores?

Tres o cuatro millonarios que estaban allí dijeron inmediatamente que sí.[30] El dueño del hotel sabía su deber con[31] aquella fabulosa clientela.

—Señor Ardens, hágame un pedido[32] a la casa que usted representa.

—¿Por cuántos pesos lo haremos?

—Pues, para empezar, cincuenta mil pesos.

Casi me caí de la silla, lleno de sorpresa y alegría. Varios de aquellos señores también me hicieron grandes pedidos.

[26] **sopa de tortuga** turtle soup
[27] **halagar** to flatter
[28] **semiburlonamente** half jesting
[29] **hágame el favor (de)** please
[30] **dijeron que sí** agreed
[31] **su deber con** his duty toward
[32] **pedido** order

Cuando los invitados[33] del señor Vargas más alegremente reían, entró una vez más el dueño del hotel.

—Perdone, señor Presidente—dijo,—pero parece que ha llegado un mensaje[34] importante; y como su Excelencia ha mandado... 5

—A ver.

Apenas concluyó de leer el mensaje, hizo llenar las copas. Bebimos en silencio. De pronto se oyó la voz del señor Vargas. Se dirigía a un hombre sentado al otro lado de la mesa: 10

—¿Con que, señor Madriz, creyó usted que podría venir aquí a la capital de la república de José Vargas a planear una revolución?...

Madriz retiró de pronto su silla de la mesa, pero permaneció sentado. Y luego, en el mismo instante, los dos hombres 15 se levantaron con el revólver en la mano.

El señor Madriz comprendía que no debía mover su cuerpo o sería hombre muerto. La mesa separaba a los dos rivales, uno frente al otro. Madriz permaneció absolutamente inmóvil. En frente, como un tigre preparado para saltar, se 20 hallaba el Presidente...

Madriz continuó inmóvil. Y entonces vimos cómo el señor Vargas lentamente se acercaba a Madriz. De pronto saltó, dando un golpe que hizo volar el revólver de Madriz, recogido en seguida por uno de los satélites del dictador. 25

* * *

Lo llevaron a la cárcel.[35] Antes de pasar por la puerta del comedor,[36] pudo oír la voz de Vargas, dirigiéndose al dueño del hotel:

—Desde esta tarde usted le mandará todas sus comidas por cuenta mía.[37] Además, le mandará una botella de buen 30 vino a cada comida y todos los cigarros que quiera. Quiero que se acuerde de que tuvo el honor de comer con Vargas.

[33] **invitado** guest
[34] **el mensaje** message
[35] **la cárcel** jail
[36] **el comedor** dining room
[37] **por cuenta mía** at my own expense

Momentos después, el Presidente salió, andando rápidamente...

—¿Cómo le parece nuestro presidente, señor Ardens? ¡Es todo un hombre! [38]—comentó uno de los invitados.

5 Y luego me contaron innumerables anécdotas, en las cuales el Presidente parecía ser instintivo como una fiera, con fuerzas que le permitían realizar hechos maravillosos. Era general del ejército y ascendió rápidamente a la presidencia. Gobernó Orolandia como a un país de corderos,[39] al que frecuente-10 mente acudían fieras que era preciso destruir.

Uno de los invitados me contó la arrogante actitud de Vargas con Mr. Fergusson, un rico comerciante yanqui de la capital. Maltrataba a los empleados[40] de su establecimiento; y cuando Vargas lo mandó tratarlos mejor, Mr. Fergusson lo 15 amenazó[41] con protestar ante el Tío Sam.

Vargas entonces lo hizo llevar a su oficina y, con aquel terrible «con que» en su boca, le dijo:

—Con que, Mr. Fergusson, ¿usted cree que el presidente de este pobre país no puede castigar la crueldad de un yanqui? 20 A ver: tráiganme un hilo[42]...

Cuando fué cumplida su orden, ató el cuello del arrogante yanqui con un hilo, por el otro extremo atado a una silla.

—Oiga, Fergusson: si cuando yo vuelva, este hilo está roto, voy a matarlo como a un perro.

25 Lo tuvo así un día entero. El yanqui, pálido[43] de miedo, no se movió durante doce horas. Vargas al regresar, con el fuego de un cigarro, quemó el hilo.

—Fergusson, ¿quiere comer conmigo? Pero si prefiere retirarse puede hacerlo. Vaya a escribir su protesta al Tío Sam...

30 Si este ejemplo del poder de un dictador sólo inspiraba risa,[44] otros de los hechos del legendario señor causaban terror. Un día prohibió[45] a un enemigo suyo que había mandado a la cárcel que pronunciase una sola palabra. Cada

[38] **todo un hombre** a real he-man
[39] **cordero** lamb
[40] **empleado** employee
[41] **amenazar** to threaten
[42] **hilo** thread
[43] **pálido** pale
[44] **risa** laughter
[45] **prohibir** to forbid

vez que pedía pan o agua, lo azotaban. Casi estaba muerto cuando por fin lo llevaron a su casa. Estuvo varias semanas entre la vida y la muerte.

Yo escuchaba, horrorizado,[46] anécdota tras anécdota. Cuando los invitados se retiraron, salí a arrojarme sobre la cama 5 de mi cuarto del hotel. Aquella noche no podía dormirme.[47] Me quedé dormido por fin en la madrugada[48] y soñé con mi mujer y con mi hijo. Prometí regresar a mi patria, a no salir de allí jamás.

Me desperté con la primera luz del día; me vestí y me 10 preparé a partir. Presentaría mi renuncia[49] como agente del cognac Hine, y volvería a mi patria. Fuí a despedirme del Presidente.

—No está.[50] Ha ido a esperar el tren del Norte. ¿Quiere que le digamos algo en su nombre? 15

—Sí; que vine a despedirme de él; que sentí mucho no hallarlo; que volveré más tarde.

Durante tres días consecutivos no pude hablar a su Excelencia. Al cuarto, después de haber escrito a la compañía Hine presentando mi renuncia, ansioso[51] de partir, envié una 20 carta despidiéndome del Presidente y me preparé a partir al amanecer del día siguiente.

El día estaba nublado.[52] Amenazaba llover; pero en mi alma yo llevaba la alegre primavera del regreso[53] a mi patria. Pero cuando iba a subir al tren, se me acercó un agente del 25 gobierno.

—Señor, lo siento,[54] pero tengo orden de detenerlo.

—¿Puedo considerarme como su prisionero?

—No; mi misión consiste sencillamente en impedirle partir.

Volví a mi cuarto del hotel. La niebla de aquel día de 30 lluvia[55] había entrado en mi corazón. Acababa de acostarme[56]

[46] **horrorizar** to horrify
[47] **dormirse** to go to sleep
[48] **madrugada** early morning
[49] **renuncia** resignation
[50] **no está** he's not in
[51] **ansioso (de)** anxious (to)
[52] **nublado** cloudy
[53] **regreso** return
[54] **lo siento** I'm sorry
[55] **día de lluvia** rainy day
[56] **acostarse** to lie down, go to bed

cuando el señor Presidente entró en mi habitación. Me levanté en seguida, sorprendido.

—Mi querido Ardens: he sabido que usted vino a buscarme. Siento que no me encontrara...

5 —Señor Presidente, siéntese usted... hágame el favor...

—¿Por qué tan triste? Usted ha hecho aquí buenos negocios; no puede quejarse.

—Pero he perdido la libertad.

—¡Bah! No se preocupe[57]... Sólo lo detendré dos semanas, 10 o un mes más; usted hizo una acusación contra José Vargas: quiero probarle que era injusta. Quiero que usted vea con sus propios ojos el espíritu de justicia con que gobierno este país. Únicamente los malhechores[58] se quejan de mí: ayudo a todos los hombres honrados[59]...

15 Era claro que hablaba con sinceridad. El Presidente no se daba cuenta de qué poco humana era su alma. No sé qué extraño concepto de justicia poseía.

Y desde aquella hora, no durante dos semanas, sino durante un eterno mes, acompañado del Presidente en persona o por 20 oficiales suyos, pude observar la riqueza, industria y progreso del país de Orolandia. Su Excelencia insistió sobre todo en que yo observase su modo de hacer justicia. Delante de mí, azotó a uno o dos hombres, y jamás creyó que pudieran criticar semejantes actos.

25 Pero ninguno de los actos de que Vargas me hizo testigo[60] reveló su alma tanto, como uno que llegó a mis oídos. Interesado en la suerte de Madriz, frecuentemente pedía noticias de él.

—Bah—me decían;—no puede quejarse: lo tratan como a 30 un rey. La comida del mejor hotel de la ciudad...

Y un día, con la misma sencillez:[61]

—Y Madriz, ¿qué es de él? [62]

—Ya está en el otro mundo...

[57] **preocupar(se)** to worry
[58] **el malhechor** evildoer
[59] **honrado** honest, honorable
[60] **testigo** witness
[61] **la sencillez** simplicity
[62] **¿qué es de él?** what has become of him?

—¿Cómo?...

—Hace dos días que lo fusilaron...

Pedí detalles. Me dijeron que un día el Presidente se enteró de que Madriz se había armado: sus amigos le enviaron por medios secretos un puñal... El mismo día se dirigió a la cárcel, donde el prisionero por orden suya tenía atados los brazos a la espalda. En sus manos Vargas llevaba un fusil. Pasó el fusil por las rejas[63] de la celda.

—Madriz, ya te había advertido que no jugaras conmigo...[64]

Y con sus propias manos, fríamente, mató a aquel hombre, atado y encerrado, de un tiro de su fusil. Yo dije horrorizado:

—Pero ¡ese hombre tiene el alma de un tigre!

El horror que sentí me dió fuerzas para escapar de aquel sitio infernal. Acudí a la casa de Vargas.

—Su Excelencia, ¿ha amado usted alguna vez? Yo tengo una mujer joven. Déjeme ir. Se lo ruego.[65]

—Muy bien, puede usted irse mañana. Ya he logrado lo que quería: usted podrá proclamar desde hoy que José Vargas es un juez justo. Siento que se vaya, porque usted es uno de los pocos hombres que he estimado.

Y cuando la pálida luz apenas anunciaba el amanecer del día siguiente, me encontré sentado, para un último viaje a mi patria, en un carro del tren del Sur. Un viajero que se sentaba frente a mí me ofreció un cigarro.

—¿Cuándo sale este tren?... —pregunté a mi compañero de viaje.

—Paciencia, dentro de pocos minutos.

Me asomé a la ventanilla.

—¿El Presidente...?—pregunté.

—¡Silencio!—me dijo mi compañero.—Mire. Allí está...

El tren empezó a moverse lentamente; luego más ligero...

Y allí, frente a la estación, donde había saltado al tren la primera vez que lo vi, sus ojos fijos en los carros en marcha, estaba el dictador, mirando la serpiente de hierro, contra la

[63] **reja** bar, grating
[64] **que no jugaras conmigo** not to pull any tricks on me
[65] **se lo ruego** I beg you

que no servían sus garras[66] formidables; acaso herido[67] en sus instintos de fiera por aquel símbolo de la civilización.

Alrededor de él estaba su reino. Su reino animal: aquel rebaño[68] de corderos y tigres bajo su cuidado. La dormida[69]
5 ciudad tropical.

—Adapted from "Las fieras del trópico" by Rafael Arévalo Martínez

[66] **garra** claw
[67] **herir** to wound, hurt
[68] **rebaño** flock
[69] **dormido** sleeping

POVERTY

In spite of notable economic progress in recent years in the countries to the south, poverty is still widespread. In nations where millions depend on the land as the principal means of subsistence, the concentration of property in the hands of a few, which began with the Spanish colonial system of granting extensive landholdings to the conquistadors and high government officials, has resulted in the creation of a landed aristocracy and a large class of tenants and peons. The small farmer as known in the United States is not very common in Spanish America. The resulting atmosphere of limited opportunity has had the ill effect of stifling initiative and enterprise.

Various attempts have been made to improve the economic plight of the poverty-stricken masses. In Mexico, large estates were broken up and millions of acres redistributed. In many countries the introduction of industry, especially in the field of consumer goods such as textiles and foods, is making headway. However, industrialization has not advanced far enough in most areas to provide a suitable living standard.

In the short story "Doña Melitona," the Uruguayan author Javier de Viana presents a picture of poverty-stricken people drifting into a life of listlessness and moral laxity as they eke out a miserable existence in the shadow of large and prosperous estates.

Doña Melitona

Aquella tarde, doña Melitona había salido más temprano que nunca. Dos horas después del mediodía,[1] los rayos del sol quemaban como finas agujas de metal caliente.[2] El cielo era azul, azul, hasta el punto distante donde se unía con la
5 tierra. Las ovejas,[3] blancas y gordas, se juntaban[4] en grupos circulares, protegiendo[5] las cabezas del sol.

Doña Melitona caminaba lentamente. Un pañuelo[6] le protegía la cabeza y la cara; bajo su viejo vestido de percal aparecían unas miserables piernas flacas,[7] y unos grandes pies
10 en un par de viejísimos zapatos. Con la mano izquierda levantaba su delantal,[8] que llenaba con unas chilcas[9] secas que recogía del suelo.

A cada cuatro o cinco pasos, se detenía para observar el campo, una inmensa sucesión de llanos y cerros. A su derecha,
15 sobre uno de los cerros, se veía el edificio grande, sólido y fuerte de una estancia.[10] La vieja pasó varios minutos contemplándolo, y en su rostro, en los labios secos y los brillantes ojillos, se pintaba el odio producido por casi un siglo de miseria.[11] A esa misma hora dormía la siesta tranquilo el
20 dueño de la estancia, a quien seguramente nunca le faltó carne gorda y buena leña[12] para asarla.[13] ¡Oh Dios! ¿Es posible que exista gente a quien nunca le falte carne gorda y leña para asarla?... Después volvía la cabeza, y su vista distinguía la ranchería[14] allá en el llano. ¡Miseria también!... Y

[1] **el mediodía** noon
[2] **caliente** hot
[3] **oveja** sheep
[4] **juntarse** to gather
[5] **proteger** to protect
[6] **pañuelo** handkerchief
[7] **flaco** thin
[8] **el delantal** apron
[9] **chilca** chilca (*a resinous plant used as firewood*)
[10] **estancia** ranch, estate
[11] **miseria** wretchedness, poverty
[12] **leña** firewood
[13] **asar** to roast
[14] **ranchería** settlement, cluster of huts

al considerar la injusta parcialidad de la suerte, el odio crecía en su alma.

Su historia era muy triste: la historia de una vida sin esperanzas y sin ilusiones. Andando lentamente, recordando su pasado—nueve décadas de desgracias—Melitona se olvidó de recoger las chilcas. De pronto llegó a sus oídos el eco de risas. Levantó la cabeza, y enterada de la causa de tan extraordinaria alegría, murmuró[15] con desprecio:[16]

—¡Las cuerudas! [17]

Entonces aparecieron dos muchachas a quienes la vieja había dado el feo nombre de «las cuerudas». Eran hermanas, bajas y gordas. Sus cuerpos representaban doce años; sus caras treinta. Sus vestidos, sucios y muy cortos, revelaban unas piernas color de bronce. Cada una llevaba en la mano un pañuelo grande lleno de carne, pan duro y otras provisiones que la caridad [18] pública les había dado. Venían corriendo, jugando como potros[19] en primavera. Una de ellas, la mayor, vió a la vieja, y cogiendo a su hermana por el brazo, le dijo al oído:

—¡Caramba!... ¡La vieja bruja! [20]

Y luego, alzando la voz, exclamó:

—¡Güenas[21] tardes, doña Melitona! ¿Cómo está? Me dijeron que usted se hallaba medio muerta.

Doña Melitona murmuró algunas maldiciones ininteligibles, y miró el pañuelo atado que llevaba la moza y que ésta en vano había tratado de ocultar, porque no pudo evitar que la vieja viese[22] los choclos[23] que llevaba.

—¿Qué llevas ahí?—preguntó.

La moza, alzando los hombros, respondió:

—Cosas que me han dao.[24]

—¿Y también te dieron esos choclos?

[15] **murmurar** to mutter
[16] **desprecio** scorn, contempt
[17] **cueruda** wench
[18] **la caridad** charity
[19] **potro** colt
[20] **bruja** witch, hag
[21] **güenas tardes** = **buenas tardes** good afternoon
[22] **no . . . viese** she could not keep the old woman from seeing
[23] **choclo** ear of green corn; roasting ear
[24] **dao** = **dado; pegao** = **pegado,** etc.

La muchacha se puso roja[25] y doña Melitona añadió con desprecio:

—¡Está claro que se te han pegao[26] cuando pasaste por la estancia de don Méndez!... Eres una ladrona...

5 —¡Adiós, doña Melitona!—gritó la moza interrumpiendo el sermón de la curandera,[27] y se echó a correr. Riendo con indiferencia, se alejaron rápidamente... ¡Bah! ¡Qué les importaba el desprecio de la vieja!

En la escuela de vicio en que habían crecido, acostumbra-
10 das al insulto de su propia madre, ¿quién ni qué podía ofenderlas? Desde pequeñas llevaban aquella vida. Hacía años que se veían[28] cruzando los campos, siempre cantando y riendo, corriendo de estancia en estancia y de choza en choza, mendigando[29] carne y pan, y robando al pasar algunos choclos.
15 ¡Pobres seres que pasan sin transición de la infancia a la vejez[30] y que son más dignos de compasión que de reproche!

En el primer momento de indignación doña Melitona había soltado el delantal, dejando caer las chilcas; las recogió paciente y filosóficamente, y siguió andando, resignada, reco-
20 giendo chilcas. Delante comían unas ovejas; algunas vacas dormían cerca. Una idea entró en la cabeza de aquella miserable criatura. ¿Por qué no había de gozar de un cordero gordo?... Los ricos, los dueños, no los comían, considerándolos plato demasiado caro;[31] se mata lo viejo, lo que ya no sirve[32]...
25 Cerca de ella dormía tranquilo un cordero gordo. La vieja iba a cogerlo, pero se detuvo. El principal propósito del robo no era satisfacer el hambre. ¡Cuántos días había pasado sin ninguna otra comida que unos pocos mates! [33] Era necesario hacer daño,[34] hacer mucho daño...
30 Siguió andando hasta que se fijó en un magnífico corderito,

[25] **ponerse rojo** to redden, blush
[26] **se te han pegao** they stuck to you
[27] **curandera** herb doctor
[28] **hacía . . . veían** for many years they had been seen
[29] **mendigar** to beg
[30] **la vejez** old age
[31] **caro** expensive (*since the lambs were raised for the fine wool*)
[32] **ya no sirve** is no longer of any use
[33] **el mate** maté, Paraguay tea
[34] **hacer daño** to hurt, do harm

un corderito fino. ¡Cuánto sentiría el dueño su pérdida! [35] Ya se disponía a cogerlo cuando por precaución miró por todas partes, y vió que venía alguien a caballo. Al reconocer a Jacinto, un muchacho de la estancia de don Méndez, una sonrisa diabólica asomó a sus labios. 5

Cogió el corderito, lo echó en el delantal junto con las chilcas secas, y comenzó a andar hacia su choza, que se hallaba a corta distancia. Rápidamente lo colgó de una pata,[36] y le sacó el cuero.[37]

Cuando el muchacho llegó, rojo y cansado de hacer correr 10 tanto al caballo, doña Melitona estaba tranquilamente preparando su cordero para asarlo.

—Doña Melitona..., el cordero fino... Yo vi...

Y al ver el animal sin cuero y sin tripas, el muchacho se calló de asombro.[38] El robo no era nada; ¡pero cometer el 15 sacrilegio de matar un cordero tan fino!... Nunca creyó que la vieja lo mataría.

Cuando pudo hablar, exclamó:

—¡Ha matado uno de los corderos finos!

—¿Qué estás diciendo, tonto?—preguntó la curandera sin 20 siquiera mirar al muchacho.

—Que ese animalito es de la estancia.

—¿Quieres ser muerto?... —gritó doña Melitona amenazando al muchacho con su gran cuchillo[39] de cocina.

El muchacho, haciendo correr al caballo, se alejó rápida- 25 mente. Desde cierta distancia volvió la cabeza, gritando:

—¡Ya se las va a ver con el patrón! [40]

Horas más tarde, el patrón llegó, seguido del sargento de policía. Se registró[41] la casa, mientras la vieja, sentada en la cocina junto al fuego, tomaba mate tranquilamente, sonriendo 30 alegre de venganza.[42]

[35] **pérdida** loss
[36] **pata** leg (*of an animal*)
[37] **cuero** skin, hide; **le sacó el cuero** she skinned it
[38] **asombro** astonishment, shock
[39] **cuchillo (de cocina)** (kitchen) knife
[40] **ya . . . patrón** now you're going to catch it from the master
[41] **registrar** to search
[42] **alegre de venganza** rejoicing in her vengeance

Cuando terminó la inútil busca, el patrón se fué maldiciendo y amenazando a la vieja. Ésta dijo en voz muy baja:

—La próxima vez será peor.

Una niñita de cuatro años[43]—una sobrinita que había criado
5 —estaba sentada en el suelo, vestida de harapos y con la cara sucia, disputando[44] un pedazo de choclo con un cerdo blanco que estaba a su lado. Al oír las palabras de su tía, empezó a gritar:

—¡Oto coldelo! [45]

10 Doña Melitona le pegó en la cara, y el cerdo le quitó el pedazo de choclo.

Cuando llegó la noche, la curandera fué al patio: levantó una olla[46] vieja y rota que usaba para dar agua a sus gallinas, y del pozo[47] que había hecho, sacó el cordero envuelto en una
15 bolsa.[48] Luego en su cuarto, con mucho cuidado, la puerta cerrada, observando el humo, vió como poco a poco se asaba el delicioso cordero. Y su sonrisa mostraba tanto odio como hambre.

* * *

Al día siguiente, muy temprano, doña Melitona se levantó
20 para comenzar su paseo habitual, recorriendo la ranchería, tomando mate donde lo tenían, comiendo donde tenían carne: la única manera que tenía de cobrar sus servicios profesionales como curandera entre aquella gente pobre.

Su primera visita fué para Secundina, la madre de «las
25 cuerudas». Vivían en una choza que el viento casi había tumbado.[49] No había ni un árbol, ni una gallina; y doña Secundina no había sembrado una sola planta de maíz, ni una patata, ni tomates siquiera, y no se veía ni una oveja. La dueña era una mujer joven aún, baja y gorda, sucia, y mos-
30 traba en su rostro la indiferencia de una bestia.

Había hecho fuego con chilcas, cerca de la única puerta de

[43] **de (cuatro) años** (four) years old
[44] **disputando** fighting over
[45] **oto coldelo** = **otro cordero**
[46] **olla** olla, stewpot
[47] **pozo** pit
[48] **bolsa** bag
[49] **tumbar** to tumble down

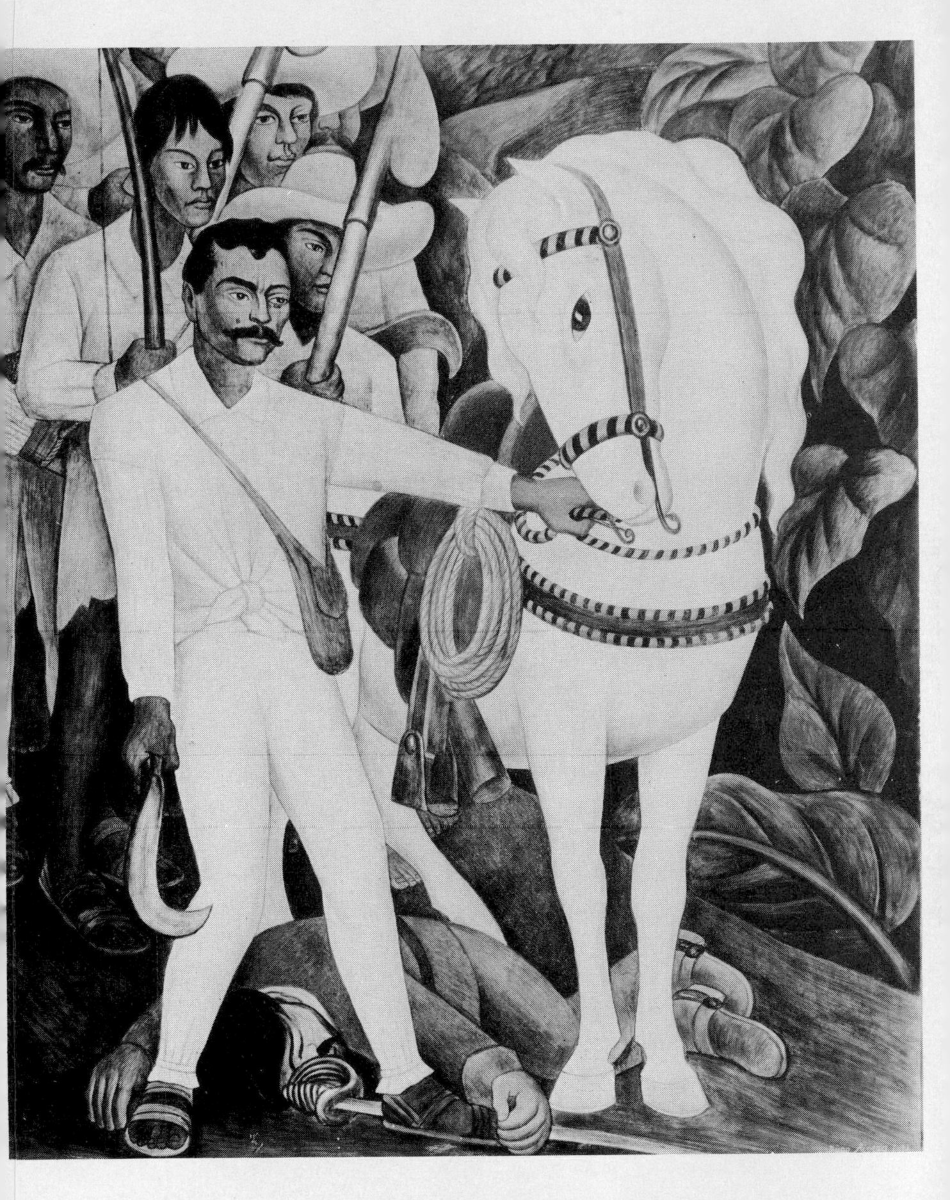

Cuadro de la Revolución mexicana por Diego Rivera

Abriéndose paso por la selva

Familia campesina de Sud América

Indios de los Andes del Perú con sus llamas

Buenos Aires, Argentina: Plaza del Congreso y Capitolio

Los *cocacolos* en la fuente de soda

la choza, y estaba sentada en un tronco de árbol, tomando mate y asando choclos. Por la puerta se veía la única habitación de la casa. A un lado había una cama de hierro, y en el suelo de tierra, un colchón de «chala»,[50] donde dormían las muchachas; una caja sobre la cual había un par de platos, una 5 silla de pino sobre la cual había una botella con una vela. Y eso era todo.

Doña Melitona tomó unos mates, miró con desprecio a «las cuerudas», y se despidió para ir a ver a su amiga Sinforosa, en la estancia vecina. Cinco minutos después estaba en la casa 10 de su amiga.

La misma decoración, la misma choza casi en ruinas, el mismo pedazo de terreno[51] sin cultivar, idéntica miseria, idéntico abandono.[52] La dueña de la casa era más vieja, la familia más numerosa, compuesta de cinco muchachos de tres a siete 15 años de edad, y otro que tenía doce. La madre, tomando mate y asando choclos; los muchachos, jugando en el suelo, el mayor construyendo una trampa[53] para coger perdices[54] y maldiciendo cada vez que tenía alguna dificultad en su trabajo. 20

Doña Melitona hizo allí lo mismo que en la casa vecina: tomó mate, habló mal de todo el mundo, escuchó todos los chismes[55] de su amiga, y salió para otra visita.

Esa mañana, como todas las mañanas, recorrió las treinta miserables chozas de la ranchería, segura de encontrar en 25 todas idéntica miseria, idéntico abandono; seres humanos que viven como cerdos, mendigando, robando, sucios de cuerpo y alma, sin educación, sin sentido moral, dejando a sus numerosos hijos una negra herencia[56] de miseria.

* * *

Y con cerca de un siglo sobre sus espaldas, doña Melitona 30 vivía aún. No debía morir sin haber realizado alguna gran

[50] **colchón de «chala»** corn husk mattress
[51] **terreno** land
[52] **abandono** neglect
[53] **trampa** trap
[54] **las perdices** partridge, quail
[55] **los chismes** gossip
[56] **herencia** inheritance, heritage

hazaña[57] que inmortalizase su nombre. Ésta fué la que voy a contar.

Era en invierno, un invierno excepcionalmente frío. Llovía mucho, y los temporales[58] habían destruido rebaños enteros.
5 El ganado[59] estaba tan flaco que en muchos rodeos[60] no se conseguía siquiera un animal para asar; había pocos cerdos gordos, porque con la sequía[61] del verano las cosechas se habían perdido, y el maíz estaba muy caro. La vida era difícil para los ricos, miserable para la gente de la ranchería,
10 que no podían encontrar quien les diese,[62] ni nada que robar.[63]

Junto al terreno de doña Melitona, el dueño de la estancia vecina había puesto un rebaño de ovejas finas. Doña Melitona, algunas veces de noche,[64] otras veces de día, estuvo ro-
15 bando de esas ovejas durante dos meses. El patrón notó el robo y aumentó la vigilancia, pasando él mismo las noches en el campo, esperando al ladrón. Sus sospechas caían sobre la curandera, hacia quien profesaba odio mortal desde el robo del cordero. Pero como era posible que otros holgazanes[65]
20 de la ranchería también robaran en su estancia, llevaba el fusil bien cargado. Al anochecer, los maridos de aquellas mujeres de la ranchería salían a robar. La policía los conocía a todos y ya había cogido a muchos. Pero al ser enviados a la cárcel de la ciudad vecina, regresaban dentro de pocos
25 días, habiendo obtenido la libertad por la influencia del cacique del pueblo, a quien ellos servían. Otros pasaban de uno a tres meses en la cárcel, comiendo y durmiendo, y luego volvían de nuevo a la ranchería a robar y a llevar una «vida fácil». Por eso, los dueños de las estancias habían considerado
30 como el único remedio emplear el fusil cuando los hallaban en sus rebaños.

Sorprender a doña Melitona era difícil; sin embargo, una

[57] **hazaña** feat, deed
[58] **el temporal** storm
[59] **ganado** cattle, livestock
[60] **rodeo** roundup
[61] **sequía** drouth
[62] **quien les diese** anybody to give to them
[63] **nada que robar** anything to steal
[64] **de noche** at night; **de día** in the daytime
[65] **el holgazán** loafer, bum

tarde el patrón logró verla coger una oveja y echarla en una bolsa. Su primer impulso fué dispararle con el fusil que llevaba; pero era una mujer, y decidió seguirla de lejos. Ella no fué derecho a su choza; después de caminar una corta distancia, se detuvo e hizo un pozo con su cuchillo, mató el animal y lo enterró, cubriéndolo bien con tierra y hierba. Cuando había concluido el trabajo, iba a retirarse, cuando vió a un hombre que se alejaba; y en seguida reconoció al patrón.

—Vas a buscar la policía—murmuró,—¡vas a llevarte un chasco! [66]

Y sonriendo, se dirigió hacia la ranchería.

* * *

Estaba acostada,[67] muy tranquila, cuando cerca de la media noche[68] oyó golpes en la puerta.

—¿Quién es?

—¡La policía!

Empezó a vestirse con calma, y el sargento de policía, impaciente de esperar, le gritó amenazándola:

—¡Abra en seguida, o le echo la puerta abajo! [69]

—¡Vaya!—contestó ella con desprecio.—Espere hasta que me vista, ¿o quiere que yo le abra desnuda?

Cuando al fin abrió la puerta, cinco hombres entraron en la habitación: el sargento de policía, el juez del pueblo, el estanciero[70] y dos vecinos. Ella los saludó muy tranquilamente.

—Síganos—mandó el primero.

—¿A dónde?

—¡Síganos!

El estanciero iba delante, indicando el camino; doña Melitona seguía, rodeada por los cuatro hombres. Al llegar al sitio

[66] **vas a llevarte un chasco** you're going to get fooled

[67] **acostado** lying down, in bed

[68] **la media noche** midnight

[69] **le echo la puerta abajo** I'll knock your door down

[70] **estanciero** rancher

donde la había visto enterrar la oveja, el estanciero se detuvo.

—Aquí es—dijo, señalando la tierra removida.[71]

—Abra ese pozo—mandó el sargento.

5 La vieja lo miró con insolencia.

—¿Y pa[72] abrir pozos me han hecho levantarme a media noche?

—¡Abra el pozo! Usted sabe muy bien lo que hay ahí.

La luna alumbraba la curiosa escena. Doña Melitona se
10 puso a escarbar,[73] descubrió una pata del animal enterrado y tiró con fuerza.[74]

El asombro fué general. En vez de una oveja, lo que había allí era el cerdo blanco de la curandera. Después del primer momento de asombro, el patrón protestó, gritando furioso que
15 él mismo había visto a la vieja robar y enterrar la oveja. El juez, muy serio, preguntó:

—¿Por qué enterró usted ese cerdo como una cosa robada, cuando era suyo?...

—Porque me destruía todo en la choza; porque yo no tengo
20 dinero con que comprar maíz pa darle de comer, y pa venderlo, nadie lo quería porque estaba muy flaco, y por eso quería matarlo. Pero la pobre Juana, mi sobrinita, que aunque es feo decirlo, lo quería como a un hermano, lloraba cada vez que yo quería matarlo; y por eso, como ayer me volcó[75]
25 la olla, dejándonos sin comida, yo me dije: «Esta noche,[76] en cuanto la chica se duerma, te mato y te escondo[77]...» ¡Ahí está, señor!

* * *

La llevaron otra vez a la choza. Pasaron la noche allí, despiertos,[78] y al día siguiente lo registraron todo, sin hallar
30 rastro[79] de la oveja. El estanciero juraba y volvía a jurar que

[71] tierra removida freshly dug earth
[72] pa = para
[73] escarbar to dig
[74] tiró con fuerza gave a strong jerk
[75] volcar to overturn, knock over
[76] esta noche tonight
[77] esconder to hide
[78] despierto awake
[79] rastro trace

aquello era un ardid [80] de la maldecida vieja; pero sin pruebas no se puede condenar a nadie, aun cuando se trate de una persona de la ranchería.

El juez, todavía serio, decidió terminar el incidente.

—Bueno, amigo—dijo, dirigiéndose al patrón,—usted tiene 5 que indemnizar[81] a esta señora, pues no ha podido probar nada y su acusación ha resultado una calumnia.[82]

—¡Una calumnia!—exclamó el estanciero furioso.

Y el juez, tranquilamente, contestó:

—Quizás no; pero la ley... 10

Luego, dirigiéndose a doña Melitona:

—¿Qué pide usted?—le preguntó.

La vieja pensó un rato; después dijo con indiferencia:

—Un cordero gordo... y cinco reales.[83]

El patrón, a pesar de su furia, tuvo que aceptar la senten- 15 cia. Se puso furioso cuando el juez dijo que debía estar muy satisfecho, pues cualquiera otra persona le habría pedido un par de cientos de pesos.

Cuando ya todos se retiraban, el sargento de policía se acercó a doña Melitona, y le dijo: 20

—¡Eres una tonta! ¿Por qué pediste tan poco?

Doña Melitona alzó los hombros:

—Mi conducta no valía más—contestó.

—ADAPTED FROM "Doña Melitona" BY JAVIER DE VIANA

[80] **el ardid** trick
[81] **indemnizar** to indemnify, pay indemnity to
[82] **calumnia** slander
[83] **el real** real (*small coin worth a few cents*)

THE INDIAN TODAY

As was the case when the Spaniards first came to America, the largest concentration of Indians today is found in the highlands of the Andes. Here life for the Indian still goes on for the most part in the manner of that of his ancestors, as he works for the hacienda owner or tills his meagre plot of land with primitive implements and tends his flock of llamas in isolated regions.

Scattered among the high Andean regions, living in poverty and ignorance, the Indian still clings to many of his old customs and superstitions. One of the pressing problems of the Indian countries—Peru, Bolivia, and Ecuador—is to find means for educating the large Indian population and incorporating it into the national life, and to conquer the Indian's widespread indifference, if not hostility, toward modern civilization.

Between the two racial and social extremes—the Indian and the white—there has arisen the *mestizo* or *cholo,* product of the union of the two races. In some countries, like Paraguay, this constitutes the largest racial group.

In the following short story, the well-known Spanish American novelist Ciro Alegría presents an interesting characterization of the Indian and *cholo* in the Peruvian Andes.

La piedra y la cruz

Los árboles se hacían más pequeños a medida que[1] ascendía la cuesta.[2] Curvas violentas comenzaron a aparecer en el camino, que pasaba ahora entre cactos de brazos desnudos, arbustos[3] y grandes piedras. Los dos caballos resoplaban y sus jinetes[4] habían callado. Un silencio aun más profundo que el de los hombres llenaba los campos. A veces, se oía el silbido del viento entre los arbustos y las rocas. Al cesar después de un rato, dejaba un silencio completo.

Si alguna piedra rodaba del camino, seguía rodando por la cuesta, a veces arrastrando[5] a otras al caer. Parecían granos de arena[6] en la inmensidad de las enormes[7] montañas de los Andes.

De pronto, ya no había ni arbustos ni cactos. La roca empezaba a crecer más y más, surgiendo verticalmente en peñas obscuras. Donde había tierra, crecía la paja brava[8] llamada *ichu.*

El resuello[9] de caballos y jinetes formaba nubecillas blancas que se disolvían luego y desaparecían en el espacio. Los jinetes sentían el frío, a pesar de la ropa de lana y los ponchos de vicuña. El que iba delante volvió la cara y dijo, deteniendo su caballo:

—¿No le dará [10] soroche,[11] niño?

El muchacho respondió:

—No. Con mi papá he subido al Manancancho, montaña de la hacienda.

Miró entonces al camino tortuoso que ascendía la cuesta,

[1] a medida que as
[2] cuesta slope, grade
[3] arbusto shrub
[4] el jinete rider
[5] arrastrar to drag
[6] arena sand
[7] enorme enormous
[8] paja brava wild grass
[9] resuello breath, breathing
[10] ¿no le dará? won't you get?
[11] el soroche soroche (*mountain sickness caused by the thin air*)

e hizo correr a su caballo. El otro caballo se quedó detrás, pero luego se echó a correr también, alcanzando al primero.

El hombre que servía de guía[12] era un indio viejo, de inexpresiva cara. Bajo el grande sombrero, los ojos brillaban en 5 el duro rostro como dos diamantes negros incrustados[13] en piedra. El que lo seguía era un niño blanco, de diez años, novicio aún en largos viajes por los abruptos caminos de los Andes, y por eso su padre le había asignado el guía. Para llegar al pueblo donde estaba la escuela a que asistía, tenían 10 que pasar por tierras altas y solitarias.

Que el niño era blanco se decía por el color de su piel, aunque bien sabía él mismo que por las venas de su madre corrían algunas gotas[14] de sangre india. Ella era hermosa y dulce y la raza nativa se notaba en su abundante pelo negro, 15 en la piel ligeramente morena, en los ojos de una suave melancolía, en las manos generosas y la suave voz.

Así es que el niño no era completamente blanco, además, había vivido siempre entre dos mundos: el mundo blanco de su padre y los amigos de éste, y el mundo de su madre y 20 la gente de los Andes, confusa mixtura de cholos[15] e indios. Sin embargo, el niño era considerado blanco por su color y también por pertenecer a la clase de los hacendados,[16] clase que había dominado al pueblo indio durante más de cuatro siglos.

25 El muchacho caminaba tras el viejo sin darse cuenta de que éste le estaba haciendo un servicio. Consideraba que eso era parte de su deber como indio. Estaba completamente acostumbrado a que los indios le sirvieran.[17] En este momento, pensaba en su casa y algunos episodios de su vida. Era verdad 30 que había subido con su padre al Manancancho, montaña de su hacienda que llamaba la atención porque a veces aparecía cubierta de nieve.[18] Pero esas montañas que ahora estaban

[12] **el guía** guide
[13] **incrustado** set
[14] **gota** drop
[15] **cholo** half-breed
[16] **hacendado** landholder, plantation owner
[17] **a . . . sirvieran** to having the Indians serve him
[18] **la nieve** snow

subiendo eran evidentemente más altas, y acaso el soroche lo atacaría cuando estuvieran en las cumbres[19] frígidas.

Hacía cinco horas que caminaban, y tres por lo menos desde que dejaron los últimos bohíos.[20] El guía indio, que aquella mañana, mientras cruzaban por un valle lleno del perfume de duraznos,[21] le contaba interesantes historias, se calló al subir a una región más alta, tal vez por la influencia del silencio de aquel lugar, acaso porque le interesaba más contemplar el panorama. Los ojos del viejo sólo buscaban los horizontes distantes, el ancho cielo, los cañones profundos. El muchacho miraba también, sobre todo a las alturas.[22] ¿Dónde estaba la famosa cruz?

Al dar la vuelta a un cerro, tropezaron con unos arrieros[23] que subían con unas mulas, las que prácticamente desaparecían bajo grandes fardos,[24] cubiertos por mantas. Los vivos colores de las mantas daban una nota alegre a la uniformidad gris[25] de las rocas.

—Güenos días, señores—los saludó el guía indio.

—Güenos días—respondieron los arrieros.

El guía indio dijo:

—Tal vez ustedes tienen un traguito[26]...

Los arrieros miraron al que parecía ser su jefe, sin responder. Éste, que era un cholo de cara ancha, de unos cuarenta años de edad, miró al indio viejo y al niño blanco, para enterarse de quienes eran.

—Algo quedará[27]...

Uno de los arrieros sacó de las alforjas[28] una botella que contenía mucho licor todavía. El cholo se acercó al niño, diciendo:

—Si el patroncito[29] quiere, usted primero...

Y dirigiéndose a los otros arrieros:

[19] la cumbre peak
[20] bohío hut
[21] durazno peach
[22] altura height
[23] arriero muleteer
[24] fardo bundle, load
[25] gris gray
[26] trago drink (*of liquor*)
[27] algo quedará there must be some left
[28] alforja saddlebag
[29] patroncito little master

—Yo conozco a su papá, el patrón Elías...

Al muchacho no le gustaba el licor, pero como le habían dicho que era bueno en la sierra para el frío y para evitar el soroche, tomó dos largos tragos. El guía indio se detuvo también después de tomar dos tragos, muy correctamente, pero el jefe de los arrieros lo invitó a continuar, y esta vez no paró hasta que uno del grupo le gritó burlonamente:[30]

—Güeno, ya está güeno[31]...

El viejo sonrió, entregando la botella.

—Dios se lo pague.[32]

Guía y niño avanzaron luego, cruzando con cierta dificultad entre las mulas. Sobre una de las mulas, entre dos fardos, había una piedra grande de un hermoso azul obscuro.

—Piedra de devoción,—comentó el guía.

—¡Jah,[33] mula!...

—¡Mulaaaa!...

—¡So!... ¡Soo!...

—¡Jah!...

—¡Mulaaaa!...

El eco multiplicaba los gritos. En un momento, la larga línea de las mulas subió la cuesta. Uno de los arrieros empezó a cantar un *huaino:*[34]

> A mí me llaman Paja Brava
> Porque he nacido en el campo.
> En la lluvia y en el viento
> siempre fuerte me mantengo.[35]

Ya no se sabía si era más alegre el color de las mantas o la canción. Los jinetes iban tan ligero como les permitía el abrupto sendero[36] y, subiendo siempre, dejaron lejos a los arrieros. De tiempo en tiempo, oían algún grito: «¡uuuuuu! ... ¡aaaaaa!...» Pero pronto todo quedó muy tranquilo otra vez. Sólo que el silbido del viento se oía más insistentemente entre la paja brava y azotó con más furia sobre las rocas.

[30] **burlonamente** jestingly
[31] **ya está güeno** that's enough
[32] **Dios se lo pague** may God reward you
[33] **¡jah!, ¡so!** get up!, whoa!
[34] **huaino** huaino (*Peruvian Indian song and dance*)
[35] **fuerte me mantengo** I keep strong
[36] **sendero** path, trail

Abajo, los arrieros y sus mulas se habían quedado tan lejos que parecían una columna de hormigas. La sombra de una nube pasaba lentamente por las cuestas, dando un tono más obscuro a las peñas.

Los dos jinetes tomaron un camino que pasaba por el borde[37] de un precipicio. Los jinetes sentían bajo las piernas los cuerpos tensos de los caballos en el esfuerzo por subir sin resbalar,[38] que podía ser fatal. Los ojos de las bestias brillaban alertas, y su resuello era más pesado. El viejo y el muchacho daban breves gritos para animarlos.

El niño no podía calcular el tiempo que habían caminado por el borde del precipicio. Quizás veinte minutos o tal vez una hora. Por fin el camino salió a un llano. Su caballo se detuvo y descansó un momento. Resopló luego y siguió al del guía con trote fácil.

Estaban en el altiplano.[39] La paja brava crecía corta en la fría desolación. En el fondo del llano, surgían nuevas cumbres. El viento soplaba[40] sin cesar. Grandes rocas de azul obscuro casi negro o de un rojo vivo surgían en el llano.

Las pequeñas piedras, fáciles de cargar,[41] apenas se veían. El indio desmontó de pronto y se dirigió hacia una piedra que había logrado hallar, y la levantó en la mano.

—¿Puedo llevar una pa usté,[42] niño?—preguntó.

—No—respondió el muchacho.

Sin embargo, el viejo buscó otra piedra y volvió con ambas. Le llenaban las grandes manos. Las guardó en las alforjas a cada lado del caballo. Montó entonces y habló:

—Hay que cargar las piedras desde aquí. Más adelante no hay ninguna...

—Ese arriero que trae una piedra, parece tonto. ¡Traer una piedra de tan lejos!

—Habrá hecho una promesa,[43] niño.

—¿Y dónde está la cruz?

[37] **el borde** edge
[38] **resbalar** to slip, slide
[39] **altiplano** high plateau
[40] **soplar** to blow
[41] **fáciles de cargar** easy to carry
[42] **usté** = usted
[43] **habrá hecho una promesa** maybe he has made a vow

El viejo señaló cierto punto de la cumbre, diciendo:

—Allá está...

El muchacho no la distinguió, pero sabía que el indio, aunque muy viejo, debía tener mejor vista que él.

5 Se referían a la gran Cruz del Alto,[44] famosa en toda la región por milagrosa y venerada.[45] Se hallaba en el lugar donde el camino ascendía la más alta cordillera. Era costumbre que todo viajero que pasaba por allí dejaba una piedra junto a la cruz. A través de los años, las piedras se 10 agotaron[46] y tenían que llevarse desde muy lejos. Año tras año aumentaba la distancia, pero no decrecía el número de las piedras que se ofrecían.

Al despedirse, su padre le había dicho al muchacho:

—No pongas ninguna piedra en la cruz. Ésas son cosas de[47] 15 indios y cholos... gente ignorante...

Recordaba exactamente aquellas palabras.

Él sabía que su padre no era devoto. Su madre en cambio era muy devota, y llevaba una pequeña cruz de oro sobre el pecho y encendía velas ante un nicho donde guardaba la 20 imagen de la Virgen. Pensaba que tal vez, si hubiera tenido tiempo para preguntar a su madre, ella le habría dicho que pusiera la piedra ante la cruz. Pensaba sobre ello cuando sonó la voz del indio, quien se atrevía a advertirle:

—La piedra es devoción, patroncito. Todos los que pasan 25 por allí tienen que poner su piedra. Usté ve que soy viejo y eso es lo que siempre he visto y oído...

—Ajá[48]... Las pondrán los indios[49] y cholos.

—Todos, patroncito. Hasta los blancos...

—¿Los patrones?

30 —Los patrones también. Es devoción.

—No te creo. ¿Mi papá también?

—Pues, nunca pasé junto con él por la Cruz del Alto, pero le juro que lo hizo...

[44] **alto** summit
[45] **por milagrosa y venerada** for being miraculous and revered
[46] **agotarse** to be exhausted; to run out
[47] **ésas son cosas de (indios)** that's for (Indians)
[48] **ajá** uh-huh
[49] **las pondrán los indios** probably the Indians put them

—No es verdad. Él dice que ésas son cosas de indios y cholos, de gente ignorante.

—La Santa Cruz perdone al patrón.

—Una piedra es una piedra.

—No diga eso, patroncito. Mire que al juez del pueblo, hombre de mucho libro[50] como es, yo lo vi poner su piedra.

El viento sopló más fuerte y les impedía hablar. Les levantaba los ponchos, les azotaba la cara. El muchacho, a pesar de haber vivido siempre en los Andes, comenzó a sentir frío de veras. Cuando el viento cesó, el viejo volvió a decir:

—Ponga su piedra, patroncito... Yo no quiero que le pase nada malo, patroncito...

El muchacho no le contestó. Conocía muy bien al viejo indio, pues éste vivía cerca de su casa, en un bohío igualmente viejo, tan viejo que en cierto lugar del techo la paja[51] se había podrido[52] y crecía allí alguna hierba. El viejo lo llamaba «niño» habitualmente, pero cuando quería que le hiciese un favor, automáticamente lo llamaba «patroncito». «Patroncito: su papá ofreció darme un machete y se ha olvidao. Hágale acordar,[53] patroncito.» «Patroncito: mi mujer está enferma y voy a darle manzanilla[54] en agua caliente, y necesita un poquito de azúcar.[55] Déme un poquito de azúcar, patroncito.»

La manzanilla y otras plantas más o menos medicinales crecían en la pequeña huerta[56] del viejo. Y no lejos de la choza una de sus nietas,[57] de la misma edad del niño blanco, solía cuidar un rebaño de ovejas. La muchachita, de cara alegre y ojos brillantes, cantaba canciones indias con voz dulce. Eran tan buenos amigos que vagaban jugando por los cerros.

Y ahora el viejo indio comenzó otra vez a llamarlo «patroncito».

—Patroncito... Óigame, patroncito. Hace muchos años, subió un hombre de la costa llamao Montuja o algo así. Ese

[50] **de mucho libro** learned
[51] **paja** straw, thatch
[52] **podrirse** to rot, decay
[53] **hágale acordar** remind him
[54] **manzanilla** camomile tea (*used as a home remedy*)
[55] **un poquito de azúcar** a little bit of sugar
[56] **huerta** garden
[57] **nieta** granddaughter

Montuja no quiso poner su piedra y se rió. Se rió. Y pasando por este llano, según dicen, le cayó un rayo[58] y lo dejó muerto en el sitio...

—Ajá...

5 —Cierto, patroncito. Y se vió claro que el rayo iba destinao pa él.[59] Andaba con tres hombres, que pusieron su piedra, y sólo a don Montuja lo mató...

—Sería casualidad.[60] A mi papá nunca le ha pasado nada.

El viejo pensó un rato y luego dijo:

10 —La Santa Cruz perdone al patrón, pero usté, patroncito...

El niño blanco, creyendo que no debía discutir[61] más con el indio, le interrumpió diciéndole:

—Calla ya.[62]

El viejo calló.

15 Violento, frío, el viento no cesaba. El muchacho sentía que las piernas se le estaban adormeciendo[63] con el frío. Esto podía ser también causado por la altura. Un ligero zumbido[64] había comenzado a sonar en sus oídos. Desmontó, diciendo al guía:

20 —Jala[65] tú mi caballo. ¡Sigue!

Sin más palabras, se echaron a andar, el guía y los caballos delante.

El muchacho comenzó a caminar a pie. Sentía que sus pies estaban duros y fríos. Apenas podía respirar; parecía que le 25 faltaba el aire. Claramente oía el violento palpitar[66] de su corazón. Se había cansado mucho,[67] pero a pesar de todo, siguió caminando. Según oyó decir a su padre, en los Andes hay que pasar a veces por lugares de diez, doce, catorce mil pies de altura y más. No sabía a qué elevación se encontraba 30 en ese momento, pero indudablemente era muy grande. Su

[58] **le cayó un rayo** lightning struck him
[59] **iba destinao pa él** was meant for him
[60] **sería casualidad** it probably was a coincidence
[61] **discutir** to argue, discuss
[62] **calla ya** that's enough
[63] **adormecerse** to grow numb
[64] **zumbido** humming, ringing
[65] **jalar** = **halar** to lead
[66] **palpitar** beating
[67] **se había cansado mucho** he had become very tired

padre le había hablado también de lo que debía hacer en las grandes alturas. La altura quitaba el aire. Y sin embargo, el viento le había quemado la cara azotándola.

El indio no dejaba de observarlo. Sentía cierta admiración por ese pequeño blanco que estaba afrontando[68] muy bien su primera prueba de altura. Pero tenía cierto miedo ante la irreverencia del muchacho, la cual le parecía algo genuinamente blanco, es decir, malo. Ningún indio sería capaz de hablar así de la piedra y la cruz.

El muchacho, sintiéndose mejor, gritó:

—¡Ey! [69]

—¿Va a montar, niño?

—Sí.

El viejo le acercó el caballo y desmontó diciendo:

—Espere un momento.

Sacó de uno de sus bolsillos una cajita que contenía grasa,[70] que usaba para tratar los cueros.[71] Tomó un poco de la grasa y se la puso en la cara del muchacho.

Olía[72] mal la grasa, pero sin abandonar su arrogancia, el muchacho sonrió. Trotando adelante, se fijó en que la cordillera al fondo del llano estaba ya muy cerca. Alzando los ojos, vió la cruz allá arriba en la cumbre, hasta la cual llegaba el sendero. La cruz extendía sus brazos al espacio, bajo un inmenso cielo.

Después de caminar un rato, llegaron a la cordillera. Las rocas que la formaban eran de un azul obscuro, y no había siquiera paja entre ellas. El sendero era extraordinariamente difícil, y los caballos, resoplando, hacían un gran esfuerzo al ascender. A pesar del sol radiante que brillaba en medio del cielo, el aire era intensamente frío, y tan enrarecido[73] que el muchacho tenía que respirar fuertemente.

Pero ya no se preocupaba. Dentro de media hora, comenzarían a bajar. Habiendo pasado bien por la prueba, estaba

[68] **afrontar** to confront, face
[69] **¡ey!** hey!
[70] **grasa** grease
[71] **los cueros** leather
[72] **oler** to smell
[73] **enrarecido** thin, rarefied

alegre. El indio en cambio no estaba contento. Mirando al sendero, prácticamente limpio[74] de toda piedra que pudiera llevarse, dijo volviendo a su tema:

—Más tarde, quizás tendrán que romper las peñas y las piedras grandes con dinamita... para la devoción. Cuando los *taitas*[75] pasan con sus niños, les dan también su piedrecita a cargar... Así, durante los años, hasta las piedras chicas se han agotao...

—¿Y cuándo comenzó todo esto?

—Quién sabe... Mi *taita* contaba de la devoción y el *taita* de mi *taita*, lo mesmo[76]...

—Está bien que pongan[77] velas ante las imágenes y cruces... ¡pero piedras!...

—Es lo mesmo, patroncito. La piedra es también devoción.

El indio se quedó pensando y luego, haciendo un esfuerzo por dar expresión a sus pensamientos, dijo lentamente:

—Mire, patroncito... La piedra no debe despreciarse... ¿Qué sería del mundo sin la piedra? Se hundiría. La piedra sostiene la tierra...

—Eso es otra cosa. Pero mi papá dice que los indios son tan ignorantes que hasta adoran la piedra. Hay algunos cerros de piedra, tienen que ser de piedra, a los que llevan ofrendas[78] de coca[79] y chicha[80] y les preguntan cosas... Son como dioses... Uno de esos cerros es el Huara...

—Así es, patroncito... Dicen que es muy milagroso el cerro Huara.

—Ya ves. ¿Crees tú en el cerro?

—Pues yo nunca fuí al Huara, pero no puedo decir ni sí, ni no.

—Ajá. ¿Y por qué no ponen cruz en ese cerro?

—Dicen que ése no es cerro de cruz. Es cerro de piedra.

—¿Y por qué no le llevan piedras?

[74] **limpio** clear
[75] **el taita** daddy
[76] **mesmo** = **mismo**
[77] **está bien que pongan** it's all right for them to put
[78] **ofrenda** religious offering, gift
[79] **coca** coca leaves (*chewed by the Peruvian Indian to deaden his feeling of cold, weariness, etc.*)
[80] **chicha** chicha (*a fermented drink made from corn, etc.*)

—Usté sabe que se llevan ofrendas de otra clase. ¿Pa qué va a querer piedras si es de piedra? A una cruz no se llevan cruces...

—Pero tú crees en el cerro.

—No le puedo responder, como le digo. Yo nunca fuí al Huara... Pero, patroncito, ¿por qué usté no va a poner piedra en la cruz?

—¿Qué importancia tiene una piedra?

—La piedra es devoción, patroncito.

Callaron ambos. El viejo compadecía[81] al niño por creerlo un ser indiferente a la unión profunda con la tierra y la piedra. Le parecía como un árbol sin raíces,[82] tan absurdo como un árbol que viviera con las raíces en el aire. Ser blanco, después de todo, resultaba hasta cierto punto triste.

En cuanto al muchacho, él habría querido destruir la creencia[83] del viejo, pero encontró que en el último análisis, la palabra «ignorancia» no significaba mucho ante la fe. Era evidente que el viejo tenía su propia explicación de las cosas, o que si no la tenía, no le importaba pues las aceptaba como hechos que quizás se explicarían más tarde.

Miró hacia lo alto. Aquella famosa cruz no era visible desde la cuesta, pues la ocultaban grandes peñas. Pero parecía que ya iban a llegar. El camino entró en un cañón y saliendo de él, en una curva del camino entre dos picos, estaba la venerada Cruz del Alto. Como a cincuenta pasos del camino, hacia un lado, se levantaba la fuerte cruz de madera. El suelo alrededor de ésta estaba enteramente cubierto de las piedras puestas allí por los devotos.

El indio desmontó y el niño blanco hizo lo mismo para ver mejor lo que pasaba.

El viejo sacó de las alforjas una de las dos piedras. Avanzó y buscó con los ojos un buen lugar. Quitándose el sombrero, en señal de[84] respeto, colocó su propia piedra sobre las otras. Luego se quedó mirando la cruz. No movía los labios, pero parecía estar rezando. Quizás pedía algo. En sus ojos había

[81] **compadecer** to pity
[82] **la raíz** root
[83] **creencia** belief
[84] **en señal de** as a sign of

un tranquilo fervor. Bajo el pelo blanco, el rostro moreno arrugado[85] tenía la nobleza[86] que da la fe absoluta.

El muchacho se alejó un poco y se puso a contemplar el más ancho panorama de montañas que hasta ese momento
5 habían visto sus ojos.

En el horizonte, las nubes formaban un fondo blanco sobre el cual las cumbres distantes surgían, azules y negras, mientras que las montañas tomaban diferentes colores según su formación y altura. Las cumbres, en sucesión sin fin,[87] daban
10 una impresión de eternidad. Simbólicamente acaso, ese mundo de piedra estaba allí, al pie de la cruz, en las ofrendas de miles de piedras de devoción, llevadas a través del tiempo, en años que nadie podía contar, por los hombres del mundo de piedra.

15 El niño blanco se acercó silenciosamente a las alforjas, tomó la piedra y avanzó a hacer la ofrenda.

—ADAPTED FROM "La piedra y la cruz" BY CIRO ALEGRÍA

[85] **arrugado** wrinkled
[86] **nobleza** nobility
[87] **sin fin** endless

THE STRUGGLE FOR SOCIAL JUSTICE

From earliest times, Spanish American writers have endeavored to call attention to the social problems of their countries. Thus, in the first century of Spanish rule, we find the Peruvian Indian writer Felipe Guaman Poma pleading in his *Buen gobierno* for better living and working conditions for his fellow Indians. In the nineteenth century, this concern of the writer resulted in a literary movement which began with the widely read novel *Aves sin nido* (1889), in which the author, Clorinda Matto de Turner, pictured the mistreatment of the Indian by his white masters. In the twentieth century, literature of "art for art's sake" has to a great extent given way to literature of social protest, as writers have become more preoccupied with the problems of the downtrodden classes.

To the clamor of writers for social justice has been added during the last few decades the voice of organized labor. Many Spanish American countries have now passed legislation providing for minimum wages, unemployment compensation, accident insurance, and safety devices in the mines and factories.

In the following story the Chilean author Baldomero Lillo, writing in the first decade of the present century, presented scenes of human misery in a Chilean coal mine where miners were forced to toil inside the earth for a miserable wage under the poorest working conditions, with constant fear of a cave-in or an explosion.

Cabeza de Cobre[1]

Sentado en su mesa de trabajo, el capataz de la mina de carbón[2] vigilaba[3] la entrada de los mineros en aquella fría mañana de invierno. Por la puerta abierta se veía el ascensor[4] que los aguardaba, y luego bajaba rápidamente a la mina.

5 Los mineros llegaban en pequeños grupos y, mientras cogían sus lámparas ya encendidas, el capataz hacía una corta raya[5] al lado de cada nombre. De pronto, dirigiéndose a dos obreros[6] que iban hacia la puerta de salida, los detuvo diciéndoles:

10 —Quédense ustedes.

Los obreros se volvieron sorprendidos y una vaga inquietud pasó por sus pálidos rostros. El más joven, un muchacho de veinte años, pecoso,[7] con abundante pelo rojo, a quien todo el mundo llamaba Cabeza de Cobre, era bajo, fuerte y robusto.
15 El otro, más alto, era viejo, de aspecto débil y enfermo.

Después de algunos minutos de silencio, el capataz les dijo:

—Siento decirles que no hay más trabajo para ustedes. Tengo orden de reducir el número de obreros en la veta[8] en que trabajaban ustedes.

20 Los obreros no contestaron y hubo por un instante profundo silencio.

Por fin el más viejo dijo:

—¿Pero nos darán trabajo en otra veta?

El capataz cerró el libro que tenía delante, y contestó muy
25 seriamente:

—Me parece difícil. Tenemos gente de sobra.[9]

[1] **el cobre** copper; **Cabeza de Cobre** Copperhead
[2] **el carbón** coal
[3] **vigilar** to watch, check
[4] **el ascensor** elevator
[5] **hacer una raya** to make a mark
[6] **obrero** worker
[7] **pecoso** freckle-faced
[8] **veta** vein, lode
[9] **de sobra** more than enough

El obrero insistió:

—Aceptaremos cualquier trabajo; trabajaremos en lo que usted quiera.

El capataz movía la cabeza negativamente.

—Ya lo he dicho, hay gente de sobra y si los pedidos de 5 carbón no aumentan, será preciso reducir también el trabajo en algunas otras vetas.

Una amarga[10] e irónica sonrisa pasó por los labios del minero, y exclamó:

—Sea usted franco, don Pedro, y díganos que quiere obli- 10 garnos a trabajar en el Chiflón[11] del Diablo.

El capataz protestó indignado:[12]

—La Compañía no obliga a nadie. Ustedes son libres para no aceptar el trabajo que no les guste.

Mientras el capataz hablaba, los obreros escuchaban en 15 silencio, humildemente.

—Pero, aunque tengo órdenes estrictas de reducir el número de obreros—añadió,—quiero ayudarles a resolver la dificultad. En el Chiflón Nuevo, o Chiflón del Diablo como ustedes lo llaman, hay dos puestos[13] vacantes de mineros. 20 Pueden ocuparlos ahora mismo,[14] pues mañana sería demasiado tarde.

Una mirada se cruzó[15] entre los obreros. Entre morir de hambre o aplastado[16] por un derrumbe,[17] era preferible lo último; sería más rápido. 25

Los obreros aceptaron el nuevo trabajo sin protesta ninguna, y un momento después estaban en el ascensor, bajando a la profunda mina.

El Chiflón del Diablo tenía mala fama. Continuamente tenían que sacar de allí algún herido,[18] y también, a veces, 30 algún muerto aplastado por un derrumbe de aquel techo que, minado[19] por el agua, era un peligro constante para la vida de los obreros.

[10] **amargo** bitter
[11] **el chiflón** tunnel, gallery
[12] **indignado** indignantly
[13] **puesto** job
[14] **ahora mismo** right now
[15] **se cruzó** passed
[16] **aplastar** to crush
[17] **el derrumbe** cave-in
[18] **el herido** injured man
[19] **minado** undermined

Esa noche, Cabeza de Cobre llegó algo tarde a su habitación. Estaba grave, pensativo, y contestaba con monosílabos las preguntas que le hacía[20] su madre sobre el trabajo del día.

5 La madre del minero era una mujer alta, flaca, de pelo blanco. Su rostro, muy pálido, tenía una expresión resignada y dulce. Se llamaba María de los Ángeles.

Hija y madre de mineros, terribles desgracias la habían hecho vieja prematuramente. Su marido y dos hijos muertos, 10 uno tras otro, por los derrumbes y las explosiones, fueron el tributo que su familia había pagado a la insaciable hambre de la mina. Sólo le quedaba aquel muchacho, por quien su corazón estaba en constante terror. ¡Cuántas veces había pensado en la razón de aquellas injustas desigualdades[21] humanas 15 que condenaba a los pobres a sudar[22] sangre para sostener la existencia de unos pocos!

Mientras la madre preparaba la comida, el muchacho, sentado a la mesa, permanecía pensativo. La anciana,[23] preocupada por aquel silencio, iba a hacerle alguna pregunta cuando 20 la puerta se abrió y asomó un rostro de mujer.

—Buenas noches, vecina. ¿Cómo está el enfermo?—preguntó María de los Ángeles.

—Lo mismo—contestó la mujer, entrando en la habitación. —El médico dice que debe permanecer en cama sin moverse.

25 La joven, de rostro moreno y demacrado[24] por el duro trabajo y las privaciones, tenía en la mano derecha un jarro, y mientras respondía, hacía un esfuerzo para no mirar la sopa caliente que estaba sobre la mesa.

La anciana cogió el jarro, y mientras echaba en él la sopa, 30 continuó preguntando:

—¿Y hablaste con el jefe? ¿Te han dado alguna ayuda?

La joven contestó tristemente:

—Sí, estuve allá. Me dijeron que no tenía derecho a nada; pero, que si él se moría, yo podía ir a buscar una orden para

[20] **hacer una pregunta** to ask a question
[21] **la desigualdad** inequality
[22] **sudar** to sweat
[23] **anciana** old lady
[24] **demacrado** emaciated, wasted

que me dieran en la oficina[25] cuatro velas y una mortaja.[26]

Y dando un suspiro, añadió:

—Espero en Dios[27] que mi pobre Juan no los obligará a tener ese gasto.[28]

María de los Ángeles añadió a la sopa un pedazo de pan y puso ambas cosas en manos de la joven, quien se dirigió hacia la puerta, diciendo agradecida:[29]

—Dios se lo pague, vecina.

—Pobre Juana—dijo la madre, dirigiéndose a su hijo.— Hace un mes que sacaron a su marido de la mina con la pierna rota. ¿En qué trabajaba?

—Era minero del Chiflón del Diablo.

—¡Ah, sí, dicen que los que trabajan ahí tienen la vida vendida! [30]

—Ahora es diferente, madre—dijo el obrero.—Se han hecho grandes trabajos de apuntalamiento[31] del techo. Hace más de una semana que no hay desgracias.

—Tal vez es así como dices, pero yo viviría muy preocupada si trabajaras allá; preferiría mendigar. No quiero que te traigan algún día como me trajeron a tu padre y a tus hermanos.

Las lágrimas corrían por el pálido rostro de la anciana. El muchacho comía sin levantar los ojos del plato.

Cabeza de Cobre se fué a la mañana siguiente a su trabajo, sin enterar a su madre del cambio de trabajo puesto en efecto el día anterior. Habría tiempo de sobra para darle aquella mala noticia. Además, no daba grande importancia a los temores[32] de la anciana. Fatalista, como todos sus compañeros, creía que era inútil tratar de evadir el destino.

Cuando una hora después de la salida de su hijo, María de los Ángeles abría la puerta, miraba encantada la radiante luz que llenaba los campos. Jamás había visto una mañana tan hermosa. El sol salía sobre el horizonte, enviando su

[25] **oficina** office
[26] **mortaja** shroud
[27] **espero en Dios** God grant
[28] **gasto** expense
[29] **agradecido** grateful
[30] **tienen la vida vendida** are living on borrowed time
[31] **apuntalamiento** reinforcement
[32] **el temor** fear

suave luz sobre la húmeda tierra. Grupos de pájaros cruzaban el sereno cielo azul, y un gallo[33] de bellas plumas daba un grito de alarma cada vez que la sombra de un pájaro pasaba junto a él.

5 Se acercaba la hora del mediodía, y en las casas las mujeres preparaban las cestas[34] de comida para los hombres, cuando el breve sonido[35] de la campana de alarma las hizo lanzarse[36] llenas de terror fuera de las casas.

En la mina, el sonido de la campana había cesado. Nada 10 anunciaba una catástrofe; la chimenea dejaba escapar sin interrupción su enorme nube de humo, arrastrado por la brisa hacia el mar.

María de los Ángeles acababa de colocar en la cesta que iba a llevar a su hijo la botella de café, cuando la asustó el 15 sonido de la campana de alarma y, soltando aquellos objetos, se lanzó hacia la puerta frente a la cual pasaban corriendo grupos de mujeres seguidas de una multitud de muchachitos que corrían tras sus madres. La anciana siguió su ejemplo: sus pies parecían volar, y todo su cuerpo temblaba. Aquellos 20 grupos de mujeres, llenas de terror, aparecieron pronto a la entrada de la mina. Las madres apretaban[37] a sus pequeños hijos, envueltos en sucios harapos, contra el pecho, y un grito de dolor salía de sus bocas.

Una fuerte barrera[38] protegía la entrada del pozo, y contra 25 ella se apretaba parte de la multitud. En el otro lado unos obreros contenían la gente, que gritaba pidiendo noticias de sus parientes, del número de muertos y del sitio de la catástrofe.

Las noticias que los obreros daban del accidente calmó un 30 poco su agitación.[39] La catástrofe no tenía las proporciones de las de otras veces: sólo había tres muertos, cuyos nombres se ignoraban. En cuanto a lo demás, y casi no había necesidad de decirlo, la desgracia, un derrumbe, había ocurrido en el

[33] **gallo** rooster
[34] **cesta** basket
[35] **sonido** sound, ringing
[36] **lanzarse** to rush
[37] **apretar** to press, hug
[38] **barrera** barricade
[39] **la agitación** excitement

Chiflón del Diablo, donde hacía dos horas trataban de sacar las víctimas, y se esperaba que pronto subiría el ascensor.

Aquella noticia hizo nacer la esperanza en muchos corazones ansiosos. María de los Ángeles, junto a la barrera, no sólo sintió la esperanza; ya estaba segura de que él no estaba entre aquellos muertos. Y con ese egoísmo de madre, oía casi con indiferencia los histéricos sollozos[40] de las mujeres.

De pronto los sollozos cesaron: un sonido de la campana seguido de otros tres sonaron lentos. La multitud en la plataforma seguía ansiosamente con los ojos el movimiento del cable del ascensor que subía. Un silencio triste, interrumpido a veces por algún sollozo, reinaba en la plataforma.

Algunos instantes pasaron, y de pronto el ascensor asomó al extremo del cable. Dentro de él podían verse algunos obreros con las cabezas descubiertas que rodeaban un carro, negro de lodo y polvo[41] de carbón.

La multitud se lanzó hacia el ascensor, haciendo muy difícil la extracción de los muertos. El primero estaba envuelto en mantas que sólo dejaban ver[42] los pies, rígidos y cubiertos de lodo. El segundo era un viejo de barba y pelo blancos.

Luego apareció el tercero y último. Entre las mantas que lo envolvían, asomaban algunos mechones[43] de pelos rojos que brillaban a la luz del sol como el cobre. Varias voces gritaron con horror:

—¡Cabeza de Cobre!

María de los Ángeles, al ver aquel pálido rostro y ese pelo que parecía bañado de sangre, hizo un esfuerzo para lanzarse hacia el muerto; pero, apretada contra la barrera, sólo pudo mover los brazos. Luego permaneció inmóvil en el sitio como si le hubiera caído un rayo.

Muchos rostros se volvieron hacia la mujer, quien, con la cabeza inclinada[44] sobre el pecho, parecía absorbida en la contemplación del abismo[45] abierto a sus pies.

* * *

[40] **sollozo** sob
[41] **polvo** dust
[42] **dejaban ver** revealed
[43] **el mechón** lock
[44] **inclinar** to bend, bow
[45] **abismo** chasm, abyss

Jamás se supo cómo saltó la barrera. De pronto, sin un grito, la vieron desaparecer en el abismo. Algunos segundos después, un ruido sordo,[46] lejano, casi imperceptible, salió de la hambrienta boca del pozo.

—Adapted from "El Chiflón del Diablo" by Baldomero Lillo

[46] sordo dull

THE GROWTH OF THE CITY

The twentieth century, with its expansion of industry and improved means of communication, has brought about significant changes in the economic and social life of Spanish America. These changes have been most marked in the cities, where factories have attracted thousands of laborers who previously earned their living from the land, as well as numerous immigrants. Countries like Argentina, Uruguay, Chile, and Cuba have welcomed several million new inhabitants, mostly from Spain and Italy, and the greater part of this new population has found its way to urban areas. Buenos Aires, with hardly one hundred thousand people a century ago, today is a great progressive city, the third largest in the western hemisphere. Mexico City has tripled in population in recent years to become a great metropolis of over three million people.

In this new urban society, the successful immigrant is rapidly displacing the old landed class, this being especially true in countries like Argentina where immigration has been the heaviest. In such metropolitan centers as Buenos Aires, it is not unusual to encounter an immigrant who has risen through years of hard toil to a high position of wealth and social standing.

The Argentine writer Arturo Cancela in the following story has sketched the rags-to-riches background of a wealthy business man in twentieth-century Buenos Aires.

El ilustre antepasado

Al salir temprano aquella mañana, don Juan Martín había tropezado con su nieto,[1] Adolfito, quien regresaba a casa.[2] El muchacho, sorprendido, sólo acertó a decir: «Buenos días», cortesía trivial que el abuelo contestó con un «Buenas noches» 5 tan frío como el aire de la madrugada.

Por antiguo hábito, don Juan Martín tenía la costumbre de pensar en sus negocios mientras caminaba por la calle, solo, en medio de la multitud de la ciudad. La primera idea de su gran empresa[3] se le ocurrió así, después de cinco años 10 de empujar[4] por la ciudad su máquina de afilar.[5] Cinco años, durante los cuales andaba con su máquina de afilar por las calles, soñando vagamente con la riqueza y dando de vez en cuando[6] un largo silbido para anunciar su presencia.

La verdad es que este silbido no tuvo poca parte en la 15 futura riqueza de Juan Martín. Al oírlo, los robustos cargadores[7] que conversaban indolentemente en las calles, esperando que alguien los llamase para transportar un piano o llevar una carta de amor, solían burlarse[8] del pobre afilador.[9] ¿Fué la primera idea de la empresa que lo hizo rico resultado 20 de su odio hacia ellos? De todos modos, el hecho es que Juan Martín tuvo la idea de realizar los servicios de los cargadores con ligeros carros de dos ruedas.[10] Y un día, dejando su máquina de afilar en la habitación donde vivía con su hija, salió a la calle arrastrando el primer vehículo de este tipo 25 que se conoció en Buenos Aires.

En los años que siguieron y que marcaron un progreso lento

[1] **nieto** grandson
[2] **a casa** home
[3] **empresa** enterprise; firm, company
[4] **empujar** to push
[5] **máquina de afilar** grindstone
[6] **de vez en cuando** once in a while
[7] **el cargador** porter
[8] **burlarse de** to make fun of
[9] **el afilador** knife-grinder
[10] **carro de dos ruedas** two-wheeled cart

pero constante en su pequeño negocio, don Juan Martín continuó recorriendo las calles de la ciudad con su carro, haciendo mientras tanto planes concretos para adquirir la riqueza.

Ahora que estaba enormemente rico, que su empresa controlaba casi todos los servicios de transportes[11] del país, y que era uno de los directores del Banco de España, su país de origen, y uno de los mayores dueños de bienes inmuebles[12] de la ciudad, la breve distancia entre su magnífica residencia de la aristocrática calle Maipú y el viejo edificio de sus oficinas en la Avenida de Julio le bastaba para resolver todos sus asuntos. Pero siempre su paso era el mismo como cuando iba empujando su máquina de afilar.

* * *

Poco interesados en aquella exhibición de un establo[13] absolutamente aséptico,[14] en el que cada uno de los animales tenía su ficha[15] individual, como los enfermos de los hospitales, Amenábar, miembro de la alta sociedad de Buenos Aires, y el embajador[16] de España se habían quedado detrás del grupo que lo inspeccionaba.

—¿Qué pensarán los peones[17] de esta estancia cuando les digan que Jesucristo nació en un establo?—observó Amenábar.

El embajador sonrió al imaginar un retablo[18] «absolutamente aséptico» con una vaca de *pedigree* y pesebres[19] de níquel. Pero por hábito profesional se puso serio inmediatamente y dijo suavemente:

—Hay en este gran interés por la ganadería,[20] como en el deseo que casi todos los argentinos tienen de dedicarse a trabajos rurales, un explicable orgullo del origen de su riqueza. Son ustedes una nación que tiene las raíces en la agricultura y la ganadería; su aristocracia se fundó más que en la tradición de familia, o en el comercio, en las grandes

[11] **transportes** hauling, trucking
[12] **bienes inmuebles** real estate
[13] **establo** stable
[14] **aséptico** aseptic, germ-free
[15] **ficha** record card, chart
[16] **el embajador** ambassador
[17] **el peón** peon, laborer
[18] **retablo** Nativity scene, crèche
[19] **el pesebre** manger
[20] **ganadería** cattle raising, ranching

extensiones de campo que el esfuerzo y la industria de sus antepasados hicieron producir. Por eso encuentro digno de alabar el deseo de ustedes de mostrarnos el mejor ganado del mundo...

5 Hablando así, el embajador de España preparaba el pequeño discurso[21] con que después, en la mesa, halagaría a los dueños de casa[22] y mostraría al príncipe de Aragón,[23] que estaba haciendo un viaje por la Argentina, que entendía el espíritu del país.

10 —Así, el señor Álava—continuó el embajador,—continúa la obra de progreso comenzada por su suegro,[24] don Juan Martín, cuando llegó de España y trajo a esta estancia las primeras vacas que fueron el origen de su fortuna...

—Le advierto—interrumpió Amenábar,—que don Juan Mar-15 tín hizo su fortuna en la ciudad. Desde que llegó a Buenos Aires, hace muchos años, no salió jamás de la capital.

Y Amenábar le relató la historia de la riqueza de don Juan Martín. Cómo había andado por las calles con su máquina de afilar; cómo había tenido la audacia[25] de arrastrar el primer 20 carro ligero de dos ruedas que se había conocido en el país; cómo había fundado una empresa de transportes que se había convertido a través de los años en una compañía importante.

—No crea usted—terminó Amenábar,—que don Juan Martín oculta su humilde origen. Al contrario, recuerda la dura 25 vida de su juventud[26] con una insistencia que molesta a su hija Juana María de Álava. El viejo ha conservado religiosamente la máquina de afilar, y hubo un tiempo en que la mostraba con orgullo a todos los que lo visitaban. Desde luego, esa manía fué la tortura de su hija, tan distinguida y 30 tan cuidadosa[27] de su prestigio. Por fin la hija persuadió al padre que enviara la máquina a esta estancia, a donde él casi nunca viene. Usted verá, si Juana María no logra evitarlo, como el viejo nos llevará a donde está la máquina de afilar.

[21] **discurso** speech
[22] **dueño de casa** host
[23] **príncipe de Aragón** *Spanish crown prince*
[24] **suegro** father-in-law
[25] **audacia** boldness
[26] **la juventud** youth
[27] **cuidadoso** careful

Amenábar bajó la voz porque iban acercándose al grupo principal.

El príncipe de Aragón, cansado de preguntar sobre cada animal y de escuchar con aire de gran interés las respuestas[28] de Álava, se puso a contemplar los verdes campos. Don Juan Martín, que había callado hasta entonces, decidió tomar parte en la conversación.

—Cuando yo llegué a Buenos Aires—comenzó a decir,—y andaba...

La señora de Álava se puso pálida. ¡Toda la mañana había estado temiendo aquella catástrofe!

Cuando logró calmarse, ya don Juan Martín había dejado de hablar. Todo había sido una falsa alarma. El anciano[29] había observado sencillamente que el ganado era mucho mejor que cuando él llegó a Buenos Aires.

La señora de Álava dió un profundo suspiro e indicó la necesidad de regresar a la casa para la comida.

En la mesa, sentada a la derecha del príncipe de Aragón, frente al obispo[30] de Heráclea, que no dejaba de alabar la sencilla vida del campo en aquella casa donde ninguno de los refinamientos de la ciudad faltaba, y junto al embajador, la hija de Juan Martín sentía que por fin realizaba[31] la más grande ambición de su vida. El padre desaparecía en el extremo de la mesa,[32] entre un periodista español que acompañaba al príncipe en su viaje por América, y un oficial del gobierno argentino.

El embajador, que se había servido varias copas de un viejo vino blanco, aprovechando un silencio favorable, comenzó a hablar:

—Hay en este gran interés por la ganadería, como en el deseo que casi todos los argentinos tienen de dedicarse a trabajos rurales, un explicable orgullo del origen de su riqueza. Son ustedes una nación que tiene las raíces en la agricultura y la ganadería...

[28] **respuesta** reply
[29] **anciano** old gentleman
[30] **obispo** bishop
[31] **realizar** to fulfill
[32] **extremo de la mesa** foot of the table

Y por hábito profesional, repitió exactamente lo que una hora antes le había dicho a Amenábar. Lo repitió todo, hasta la alusión de las primeras vacas que fueron el origen de la riqueza de don Juan Martín.

5 Y en aquel momento ocurrió la catástrofe que Juana María había temido toda la mañana. Desde el extremo de la mesa, el millonario afirmó que desde que llegó de España, había vivido siempre en Buenos Aires; y recordó su vida de trabajo y las humillaciones sufridas, caminando con su máquina de 10 afilar por las calles de la gran ciudad.

Juana María tuvo que sufrir aquella humillación en silencio.

Durante varias semanas, la señora de Álava recordó con secreto placer la comida con el príncipe, el embajador y el obispo. Aquella visita había sido uno de los grandes momentos 15 en su vida. No, no habían sido inútiles todas las concesiones que con tanta dificultad había obtenido de su padre, después de la muerte de su madre, cuando quedó como única compañera de don Juan Martín: muebles[33] finos, numerosos criados, importantes relaciones sociales y, por último, la estancia 20 para su marido. Pero no dejaba de sentir la humillación que el padre la había hecho sufrir durante aquella comida; y recordó con secreta satisfacción cómo, el día antes de salir para Buenos Aires, hizo destruir secretamente la odiosa[34] máquina de afilar.

* * *

25 Una tarde, pocas semanas después de la visita del príncipe, el auto de la señora de Álava se detuvo ante la entrada de las oficinas de la Empresa de Transportes. Doña Juana María se bajó de él y entró alegremente en la oficina de su padre, con palabras llenas de cariño y un perfume de violetas. Sor- 30 prendido, don Juan Martín sonrió.

En los primeros días de la Empresa, cuando su trabajo era difícil y los negocios lo preocupaban constantemente, don Juan Martín siempre tenía la compensación de una visita de su hija al terminar el trabajo diario. Pero más tarde, con la

[33] **los muebles** furniture, furnishings [34] **odioso** hated, despised

riqueza vinieron lo que ella llamaba sus «obligaciones sociales», y las visitas se hicieron menos frecuentes. La última vez que su hija había estado en la oficina era un año antes, cuando don Juan Martín había tenido que ayudar a Álava, amenazado de ruina por sus pérdidas en la mesa de juego.[35] 5

Bajaron juntos y subieron al auto, que salió suavemente. Juana María se puso a alabar la belleza[36] de aquella tarde de otoño. Pasaron por el barrio de Palermo, con sus magníficas casas. Juana María criticó la arquitectura: no le gustaban las grandes casas que copiaban la arquitectura francesa e italiana. 10

—¿Cuándo la gente de buen gusto construirá casas que nos recuerden que vivimos en Buenos Aires y que tenemos nuestra propia tradición?

Don Juan Martín la escuchaba en silencio. Luego habló por primera vez: 15

—¿Cómo está tu marido?

—Bien—contestó ella, contenta porque esta vez no tenía que pedirle nada para Álava.

Un auto de carrera amarillo pasó lentamente. Juana María reconoció con orgullo maternal a su hijo Adolfito, que iba 20 guiando[37] el poderoso[38] carro. Evitó señalar su presencia al abuelo; don Juan Martín sentía hacia el muchacho una gran aversión.

Aquella noche comieron solos; Álava estaba en la estancia y Adolfito casi nunca comía con la familia. Al fin de la 25 comida, mientras don Juan Martín encendía un cigarro, la señora de Álava volvió al tema de la arquitectura. Estaba cansada de vivir en aquella inmensa casa, con todo su frío *confort* y su aire impersonal. ¡Cuánto deseaba una casa que recordase nuestras costumbres y el pasado del país! Una casa 30 colonial fresca, blanca, con grandes patios de azulejos[39] llenos de flores y enredaderas,[40] y un frente sencillo con ventanas de rejas.

Y mientras le decía eso al padre, pensaba con secreto placer

[35] **mesa de juego** gambling table
[36] **belleza** beauty
[37] **guiar (un carro)** to drive (a car)
[38] **poderoso** powerful
[39] **azulejo** tile
[40] **enredadera** vine

en los costosos[41] detalles con que completaría ese plan sencillo: los cuadros de artistas famosos; la capilla,[42] que sería un pequeño museo de arte religioso y donde a veces invitaría al obispo de Heráclea a decir misa...

5 —No me parece difícil—comenzó a decir don Juan Martín. Juana María no lo dejó continuar.

—¡Qué bueno eres, papá!—exclamó efusivamente.

—Pero será preciso esperar hasta que termine el contrato de alquiler[43]—añadió don Juan Martín.

10 —¿Qué contrato?—preguntó la señora, sorprendida.

—El de nuestra antigua casa de la calle Venezuela. Hasta que termine el contrato, no podremos volver a vivir en ella.

—¿Y quién piensa ir a vivir en la casa de la calle Venezuela?—exclamó Juana María.

15 —¿Cómo?—dijo don Juan Martín, mirándola con asombro. ¿No se había referido ella constantemente en la conversación a la vieja casa de la calle Venezuela, con sus grandes patios llenos de enredaderas y sus ventanas del tiempo de los virreyes?

20 Con la angustia[44] de quien, creyéndose victorioso, se ve de pronto vencido, Juana María protestó ante semejante suposición. Ella nunca había pensado en volver a la casa de la calle Venezuela, una casa vieja llena de ratones[45] y de arañas,[46] en un barrio imposible donde no vivía nadie de im-

25 portancia. Y con sollozos en su voz, ante la mirada de sorpresa del viejo, describió de nuevo su sueño de una casa colonial.

Don Juan Martín había comprendido al fin. Su hija quería que le transportase la casa de la calle Venezuela al aristocrático barrio del Norte. La idea de transportar una casa

30 vieja a un nuevo barrio le pareció absurda, y levantándose para terminar la conversación, dijo sencillamente:

—¡Imposible!

Una vez sola en su habitación, la señora de Álava se aban-

[41] **costoso** costly
[42] **capilla** chapel
[43] **contrato de alquiler** lease
[44] **angustia** anguish, distress
[45] **el ratón** mouse
[46] **araña** spider

donó a su angustia. ¡Adiós al sueño de la casa a la moda,[47] de los magníficos muebles antiguos, de los cuadros famosos, la capilla llena de tesoros artísticos! Ella ya tenía casi cuarenta años; le quedaban, pues, pocos años de juventud, de belleza, de deseos de gozar la vida. ¿Para qué quería la riqueza cuando ya fuera vieja? Esta idea la llenó de una pena infinita, y sinceramente, levantando sus bellas manos hacia el cielo, exclamó:

—¡Dios mío! ¡Cuándo estaré libre de mi padre!

* * *

Por fin había muerto. Su viejo criado, sorprendido de que siguiera durmiendo[48] después de las ocho, entró en la habitación y lo halló envuelto en las ropas de la cama, blanco y rígido[49] ya.

Debía haber muerto pocas horas antes, mientras dormía. La muerte había acentuado[50] en su cara aquel aire de reserva que había tenido toda su vida; parecía ocultar un secreto, el secreto de su duro trabajo durante medio siglo, de las desilusiones[51] sufridas en silencio...

El criado, cerrando la puerta suavemente, bajó al primer piso y fué a avisar[52] a la señora.

—¿Qué pasa,[53] Julián?—preguntó Juana María.

—Señora, el señor Martín... Me parece que es algo grave. Si la señora pudiera subir...

—¡Inmediatamente!—contestó Juana María.

Subió la escalera[54] rápidamente, seguida del criado. Al ver al padre blanco y rígido, se dió cuenta de la verdad. Fué como si hubiera recibido un fuerte golpe en la frente; permaneció un instante atónita.[55] ¿Qué debía hacer? Como siempre, cuando se necesitaba, Álava estaba en la estancia.

—Julián—mandó al criado,—vaya usted en seguida a buscar

[47] **a la moda** fashionable
[48] **sorprendido . . . durmiendo** surprised that he was still asleep
[49] **rígido** stiff
[50] **acentuar** to deepen
[51] **la desilusión** disillusionment, disappointment
[52] **avisar** to inform
[53] **¿qué pasa?** what's the matter?
[54] **escalera** stairs
[55] **atónito** shocked

al doctor; pero sin decir nada a nadie, para no causar alarma. Yo esperaré aquí...

Al quedarse sola, Juana María se fijó el la habitación: muebles modestos, viejos; la alfombra[56] sucia; ropas en des-
5 orden. Todo con un aspecto tan pobre que la hizo romper en un sollozo:

—¡Dios mío! ¡Qué miseria!

Cuando Julián volvió con el médico, apenas pudo reconocer la habitación. Faltaban muchos muebles, y se había cambiado
10 la alfombra.

Cuando el médico confirmó la muerte, Juana María se arrodilló sobre la alfombra limpia y permaneció largo rato en silencio. Pero de pronto se levantó, secó[57] las lágrimas que corrían por su rostro, y dió varias órdenes.

15 Álava, que estaba en la estancia, fué avisado por medio de un telegrama de seis palabras. El último en recibir la noticia fué Adolfito, el nieto de don Juan Martín, que vivía en la misma casa. Se había levantado a las cuatro de la tarde, y envuelto en una bata de baño,[58] estaba preparando un
20 *cocktail* cuando vió en *El Diario*, que tenía sobre su cama, el retrato[59] del abuelo.

—¡Caramba! ¡El viejo!—dijo lleno de asombro, y sin dejar su *cocktail* se enteró de la noticia de la muerte.

Don Juan Martín aparecía en el periódico como un *pioneer*,
25 como uno de esos hombres que son el orgullo y la fuerza de las sociedades modernas. Este país, sobre todo, al que había dedicado sus energías por más de medio siglo, y donde había criado una familia modelo de virtudes, le debía de estar muy agradecido.

30 Los demás periódicos de la tarde expresaban semejantes sentimientos, alababando sus virtudes y relatando la maravillosa historia de la formación de su fortuna, comenzada humildemente y acabada en un esplendor de millones. Se admiró su energía, se recordaron sus éxitos de genio financiero. Se

[56] **alfombra** carpet, rug
[57] **secar** to dry
[58] **bata de baño** bathrobe
[59] **retrato** picture, portrait

relataron anécdotas sobre el hombre de negocios; y la máquina de afilar, la famosa máquina de afilar de su juventud, reapareció como una visión gloriosa.

En pocas horas, don Juan Martín se había convertido en una figura épica. 5

* * *

El tren especial en que Adolfito, el nieto de don Juan Martín, había reunido a todos los amigos para asistir al descubrimiento[60] del busto de su abuelo en la nueva colonia de vacaciones,[61] entró en la pequeña estación. Abenámar bajó el primero. Apenas salió del tren, un operador de cine,[62] frente 10 a él, empezó a filmar la escena. A su lado, una banda musical empezó a tocar.

Pocos pasos adelante, reconoció al gobernador de la provincia, acompañado de un joven ministro que parecía muy preocupado del efecto del rocío[63] sobre sus finos zapatos 15 nuevos. Alrededor de la estación se veía una multitud de gente. Los cohetes[64] estallaban[65] en el aire anunciando que se acercaba la hora del descubrimiento del busto de don Juan Martín.

La multitud reunida para la ceremonia se dirigía hacia el 20 pabellón[66] principal de la colonia de vacaciones, que llevaba el nombre de don Juan Martín como un ejemplo de lo que pueden realizar el trabajo y la perseverancia.

«¿Cómo ha podido Juana María reunir tanta gente aquí?» pensó Amenábar. El obispo de Heráclea hizo un hermoso 25 discurso, que se basó en la observación de un filósofo francés: «¿Qué es una hermosa vida? Un pensamiento de la juventud realizado en la edad madura[67]...» Mientras el obispo hablaba, Juana María, llorando de emoción al recordar a su padre,

[60] **descubrimiento** unveiling
[61] **colonia de vacaciones** underprivileged children's camp
[62] **operador de cine** newsreel cameraman
[63] **rocío** dew
[64] **el cohete** skyrocket
[65] **estallar** to burst
[66] **el pabellón** pavilion
[67] **la edad madura** maturity

pensaba que ella también había conseguido todo lo que deseaba en la juventud. Lo último, lo que más le había costado, acababa de obtenerlo: poseía la mejor casa de Buenos Aires, y ahora tendría un antepasado ilustre.

Los demás discursos, el del gobernador de la provincia, y el del director de la colonia de vacaciones, no dejaron ninguna duda sobre don Juan Martín. Su nombre había entrado en la gloria.

A mediodía, la mayor parte[68] de la gente se dirigió a la estancia de Álava, que se hallaba cerca. Algunos querían ver el hermoso caballo de carrera que Álava había comprado en Inglaterra[69] por una suma fabulosa; otros se pusieron a buscar la famosa máquina de afilar a que se hacía referencia siempre cuando se mencionaba el origen de la fortuna de don Juan Martín.

Esta vez la señora de Álava acompañó a los curiosos. Los llevó a donde, cubierta con una lona,[70] se hallaba la máquina de afilar, con su rueda única, su pedal, la piedra y el jarrito de agua.

¡Cómo la cuidan!—alguien dijo cuando se levantó la lona que la cubría. En efecto, la máquina de afilar no representaba medio siglo. El obispo de Heráclea, que acompañaba a la señora de Álava, descubrió entonces que tenía la patente del año anterior.[71] E inmediatamente alabó la devoción de la hija que, como un tributo de amor a su padre, todos los años renovaba[72] la patente de la máquina de afilar.

—Gran ejemplo de humildad,[73] señora, gran ejemplo de humildad.

Mientras tanto, la hija de Juan Martín, temiendo que por otros detalles se descubriese la substitución de la antigua máquina de afilar destruida, dejó caer la lona de nuevo. Mientras caminaba hacia la casa, la señora de Álava iba pensando que era ridículo que ella, que había reunido en su

[68] **la mayor parte** most
[69] **Inglaterra** England
[70] **lona** canvas
[71] **tenía . . . anterior** the patent was dated the year before
[72] **renovar** to renew
[73] **la humildad** humility

nueva casa muebles antiguos y venerables obras de arte, no hubiera podido conseguir una máquina de afilar vieja.

Fué el único pensamiento desagradable[74] que tuvo aquel día.

—ADAPTED FROM "El culto de los héroes" BY
ARTURO CANCELA

[74] desagradable unpleasant

THE RISING GENERATION

Despite its long Spanish tradition, Spanish America during most of the past century was greatly influenced by French culture. It was stylish to read and imitate French literature, follow the Parisian fashions, and admire French art. In the last few decades, however, the influence of the United States has been replacing that of France in many phases of Spanish American life. As relations between the two Americas have become closer, American ideas have made their way south. Spanish American youth in particular has been attracted to American customs, including movies, comics, Coca-Cola, and jazz.

Today, on both sides of the Rio Grande, young people are learning each other's language. South of the border, English has replaced French as the foreign language most in demand in schools, and Spanish American students are attending American universities in larger numbers; while the study of the Spanish language and Spanish American literature and culture have become more popular subjects in schools in the United States.

The following article adapted from the magazine *Semana* of Bogotá pictures the life of teen-agers in a typical Spanish American city.

Muchachos de hoy

Elsa es una bogotanita[1] de 14 años, para quien la mejor época del año acaba de empezar. Hace algunos días, recibió su diploma del colegio.[2] Y mientras escuchaba los aplausos en el fondo del teatro y sonreía a su maestra, Elsa supo que después de despedirse de sus compañeros,[3] se realizarían por fin los grandes planes de vacaciones. Planes discutidos democráticamente con amiguitas de su edad en varias visitas a la fuente de soda, sobre una coca-cola.

Los planes de Elsa no son un secreto: la espera en casa[4] un cerro de revistas[5] cuyos cuentos y novelas cortas presentan muchachas como ella (falda a cuadros[6] o *blue-jeans*, suéter, mocasines[7] y medias tobilleras),[8] que van también a las fuentes de soda, escuchan con mucho entusiasmo las últimas canciones populares, y comienzan a presentir[9] el amor. El amor, vestido también con *blue-jeans*, chaqueta deportiva[10] y mechón de pelo sobre la frente...

Se hacen planes desde luego para los paseos. «La barra»[11] (grupo de amigos y amigas inseparables) espera que algunos de ellos puedan usar de vez en cuando el convertible de su familia, en el cual se meterán todos para recorrer la ciudad, parándose en las fuentes de soda donde discutirán el próximo baile de Navidad.[12] El que dirige el debate, desde luego, es el «dueño» del automóvil. Poder usar el auto le convierte en

[1] **bogotanita** little girl from Bogotá (Colombia)
[2] **colegio** school
[3] **compañeros** classmates
[4] **en casa** at home
[5] **cerro de revistas** stack of magazines
[6] **falda** skirt; **falda a cuadros** plaid skirt
[7] **mocasines** loafers, "mocs" (moccasins)
[8] **medias tobilleras** bobby sox
[9] **presentir** to be conscious of
[10] **chaqueta deportiva** sport jacket
[11] **barra** "gang," "crowd"
[12] **la Navidad** Christmas (*In Colombia the school year ends in December.*)

el jefe del grupo, y a los ojos de las muchachas se hace más romántico... Además, los días anteriores a la Navidad son todos los años un pretexto para hacer excursiones al campo. Antes de preparar el tradicional pesebre de Navidad, es necesario ir a buscar matitas silvestres,[13] recogiéndolas en los cerros vecinos en alegre compañía.

En casa de Elsa o en la de cualquiera de sus amigas, el teléfono no descansa durante estos días. Como los hombres de negocios, las quinceañeras[14] bogotanas resuelven la mayor parte de sus pequeños y grandes problemas por teléfono. Los padres han observado que la cuenta de este servicio aumenta durante las vacaciones de Navidad. La joven coloca su centro de operaciones en el sillón[15] junto a la mesita del teléfono y desde allí, con el radio a su lado, revistas por el suelo y una interminable coca-cola en la mano, recibe y hace llamadas[16] todo el día. «El gobierno»[17] no lo entiende, pero la verdad es que una fiesta de jovencitos[18] exige cuidadosa preparación. Es necesario evitar que asistan «viejos»[17] o «viejas» que no pertenecen al grupo; tienen que resolver una serie de problemas aparentemente sin solución: Enrique, un «sol»[17] que baila «divino»[17] el mambo, no iría si invitan a Patricia, porque ésta acaba de «darle calabazas».[17] Estela no se habla con[19] Nora, y ambas son indispensables... María Cristina no puede ir sino con el hermano, y éste es un «incunable»[17] de 24 años, muy serio y «chicle»[17]... Cuando las llamadas tienen el efecto deseado y todo se arregla, aun queda la última batalla, una hora antes de salir de casa: convencer a los padres de que «una mujer de 14 años» ha de llevar este estilo de peinado[20] y precisamente ese vestido y que es indispensable un poco de *rouge*. Generalmente gana la hija y asiste a la fiesta como lo exige el código[21] juvenil. Código

[13] **matitas silvestres** green boughs, bits of greenery
[14] **quinceañero** fifteen-year-old, teen-ager
[15] **el sillón** armchair, easy chair
[16] **llamada** call
[17] See *Diccionario*, page 135.
[18] **jovencitos** young folks
[19] **no se habla con** is not speaking to
[20] **estilo de peinado** hair-do
[21] **código** code

compuesto de una serie de reglas[22] generales que cambian constantemente. Algunas de ellas:

Hay que bailar mambo, bolero, cumbia y foxtrot (bailes importados, con excepción de la cumbia);

El plato frío que se sirve en el baile debe comerse no sentados en las sillas, pues esto parecería estirado,[23] sino sentado en la escalera con los amigos;

Los muchachos no deben ser demasiado corteses,[24] porque esto los hace parecer viejos;

No se toma vino ni cerveza, porque se trata sólo de bailar y de jugar un poco al amor y no de emborracharse.[25]

Grupos de jóvenes así, con sus propias costumbres, han existido siempre. Para hacer la historia de las sucesivas generaciones de jóvenes quinceañeros que han existido en Bogotá, a través de los años, sería necesario empezar con los últimos años de los tiempos coloniales. Los *cocacolos*[26] y las *cocanitas* de 1800 horrorizaban como los de hoy a sus mayores, quienes comentaban:

—Estos muchachos modernos son imposibles... En mi tiempo...

Sin embargo, fueron los *cocacolos* de 1800 los que cambiaron el curso de la historia de la patria, cuando tomaron parte en el movimiento de la Independencia.

Ellos, y las otras generaciones del siglo pasado y de los primeros años de éste, tuvieron una capital espiritual, que era París, que les prescribía desde los Derechos del Hombre,[27] hasta la moda en el vestir,[28] además de la literatura, la filosofía y el arte. La Constitución de la República y los libros de urbanidad[29] se preparaban bajo la influencia de Francia. Nadie más feliz, ni más envidiado,[30] que el que podía referir

[22] **regla** rule
[23] **estirado** stiff, stuck-up
[24] **cortés** polite
[25] **emborracharse** to get drunk
[26] **cocacolo, cocanita** *nicknames for teenagers, derived from their fondness for Coca-Cola*
[27] **Derechos del Hombre** Rights of Man (*a French political document asserting the rights and privileges of the people*)
[28] **la moda en el vestir** fashion in dress
[29] **la urbanidad** etiquette
[30] **envidiar** to envy

sus viajes por Europa, sus aventuras en París. El nombre que se daba a los jóvenes de toda esa época fué el de *cachaco*.[31] El *cachaco* era romántico y un poco bohemio; componía versos; era muy cuidadoso en el vestir, y trataba de parecer
5 culto.[32] En los intervalos entre las guerras civiles, se dedicaba a una vida de mucha actividad social. Al fin del siglo empezó a adoptar la pose, también de Francia, de la desilusión. Un *cachaco* típico de esta última época fué el poeta José Asunción Silva.[33]

10 El *cachaco* desapareció después de 1925, y apareció entonces la *generación del carnaval*.[34] Eran más alegres, y con ellos la influencia francesa comienza a desaparecer. Organizaron en su época los mejores carnavales que se habían visto en el país. Quizá consideraban la vida como un carnaval. Eran
15 los años de la gran crisis económica, se acercaban grandes cambios políticos, y todo aquello quedaba oculto por una máscara sonriente.[35] Se dice que la *generación del carnaval* fueron en Colombia los últimos jóvenes románticos.

Después de 1930 y antes de llegar a la «edad del *cocaco-*
20 *lismo*», siguieron generaciones de jóvenes que expresaban la nueva tendencia de la nación. El punto de vista cruzó el Atlántico y se movió de París a Nueva York. Estas generaciones fueron las del *niker*, de la Glostora para el pelo, y el gusto por la música gringa.[36]

25 Luego vino el *cocacolo*, el joven de la «Era Atómica», de la época del aeroplano, del cine,[37] de las historietas ilustradas[38] y de la televisión. Si algún día un gringo escribe, con aspiraciones a *best-seller*, un manual sobre «Cómo Hacerse Cocacolo, en 10 Lecciones Fáciles», no puede dejar de mencionar
30 cosas esenciales como éstas:

[31] **cachaco** dandy
[32] **culto** cultured
[33] **José Asunción Silva** *Colombian poet (1865-96), whose verse was marked by a spirit of pessimism*
[34] **el carnaval** Mardi Gras
[35] **máscara sonriente** grinning mask
[36] **gringo** American (*U.S.A.*)
[37] **el cine** movies
[38] **historietas ilustradas** comic books

Se entra en el *cocacolismo* a los 13 años y se sale de él a los 20;

Se usa ropa cómoda:[39] suéter, *blue-jeans* y mocasines, excepto los domingos;

Todo *cocacolo* debe bailar bien, sobre todo los bailes 5 modernos;

Debe tener por lo menos cinco de las siguientes aficiones:[40] las historietas ilustradas, libros de aventuras interplanetarias, la música norteamericana, el cine, la radio, los deportes,[41] el chicle, el automóvil; 10

Debe emplear en toda conversación, por lo menos el 80%[42] de las palabras claves[43] del *cocacolismo* (*vea* Diccionario);

Debe sentirse orgulloso de ser *cocacolo,* pero sin mostrarlo.

Periodistas y educadores se interesan con frecuencia en el fenómeno humano que presentan en Colombia los *cocacolos* 15 y las *cocanitas.* En general, se les reprende.[44] El método más usado por el *anticocacolismo*[45] es la comparación. Primero se alaban a todas las generaciones anteriores, y al fin del artículo o discurso, el jovencito[46] de hoy queda convertido en un sujeto mal vestido, descortés, ignorante, de quien nada bueno 20 puede esperar la familia, ni la sociedad, ni la patria. Sin embargo, los *cocacolos* y las *cocanitas* están muy lejos de ser la calamidad que horroriza a los pesimistas. Patricia y Enrique, Jaime y María Cristina, no son más frívolos, ni más ignorantes, hablando en general, que los jovencitos de hace 25 15, 30, 70 años. El *cachaco* componía versos y recitaba de memoria los textos de urbanidad, porque la vida de su tiempo era así; y el joven de la época del *carnaval* organizó carnavales, porque vivía en una ciudad donde faltaban las diversiones. Carnavales que, además, probablemente horrorizaron 30 a los padres y abuelos de esos tiempos.

[39] **cómodo** comfortable
[40] **la afición** hobby
[41] **el deporte** sport
[42] **ochenta por ciento** eighty percent
[43] **la clave** key
[44] **se les reprende** they are scolded
[45] **anticocacolismo** critics of teenagers
[46] **jovencito** young fellow

Además, pueden notarse características positivas: por ejemplo, el interés del jovencito de hoy por la ciencia, la tecnología y las matemáticas aplicadas,[47] puede llegar a ser[48] la clave para el progreso futuro del país. No todo es mambo, 5 chicle o historietas ilustradas. No puede negarse que debajo de muchos suéteres hay temperamentos artísticos e intelectuales. Es frecuente ver a los *cocacolos* en las exposiciones de arte, y no es raro oír entre ellos inteligentes discusiones sobre literatura.

—ADAPTED FROM *Semana* (BOGOTÁ, COLOMBIA, 27 DE DICIEMBRE DE 1954).

[47] **matemáticas aplicadas** applied mathematics [48] **llegar a ser** to become

DICCIONARIO DEL «COCACOLO»

Cocacolo.—Quinceañero.

Cocanita.—Quinceañera.

Chicle.[1]—Sujeto que resulta insípido después de conocerlo un corto tiempo.

Darle calabazas.[2]—Equivalente a «dejarlo plantado».[3]

Divino.—Cualquier cosa es «divino» en boca de una «cocanita». Desde Alberto Einstein (el «incunable» de los átomos) hasta un helado[4] Peach-Melba.

El gobierno.—El papá, la mamá y los hermanos mayores.

Incunable.[5]—Anciano o anciana.

Las Milton.—Se dice de las mujeres gordas. Es una abreviatura[6] de «Mil Toneladas».[7]

¡Me gusta la del medio! [8]—Expresión que se oye al pasar dos «cocanitas».

No lo agarran[9] *ni en las curvas.*—Se dice de un «sol» que elude todo romance que amenaza convertirse en matrimonio.

¡Si así eres verde, cómo serás madura! [10]—Piropo[11] que escucha toda «cocanita» que lleva un vestido de ese color.

Sol.—Lo usan «ellas», para expresar las excelencias físicas de un muchacho.

Super-atómico.—Sinónimo de extraordinario.

Viejo o vieja.—Jovencito o jovencita que generalmente no tiene más de 18 años.

[1] **el chicle** chewing gum
[2] **calabaza** pumpkin
[3] **dejar plantado** to jilt
[4] **helado** ice cream, sundae
[5] **incunable** rare old book (*printed before 1500 A.D.*)
[6] **abreviatura** abbreviation
[7] **tonelada** ton
[8] **la del medio** the middle one
[9] **no lo agarran** they can't grab him
[10] **maduro** ripe, mature
[11] **piropo** compliment

EJERCICIOS

Descubrimiento

(Páginas 2 a 5)

I. CONVERSACIÓN. *Conteste en español:*

1. ¿Con qué tierras sueña el hijo del tejedor? 2. ¿A quién cuenta sus sueños? 3. ¿Por qué lo llaman loco? 4. ¿A dónde va con su hijo? 5. ¿Qué les cuenta a los frailes? 6. ¿Quién es fray Juan Pérez? 7. ¿Qué dice fray Juan Pérez a la Reina? 8. ¿Qué necesita el marinero para hacer el viaje? 9. ¿Cuántos meses pasan los marineros en el mar? 10. ¿Llega Cristóbal Colón al Oriente? 11. ¿A dónde llega? 12. ¿Qué hace al desembarcar? 13. ¿Qué clase de hombres encuentra en las nuevas tierras? 14. ¿Cómo son esas tierras? 15. ¿Cómo muere el tejedor de sueños?

II. MODISMOS. *Use en frases completas:*

1. una vez	5. detrás de	9. se llama
2. se casa con	6. se ríen de	10. más allá de
3. sueña con	7. tenemos hambre	11. había muchos indios
4. me quedo	8. dar la vuelta a	12. tengo que

III. COMPOSICIÓN. *Escriba en español:*

The queen listened to the old friar. Then she asked:

"Does this man think that he can reach the Orient by sea?"

"Yes, your Majesty," answered the good friar, "that is his great dream. But he is poor and needs your help."

"What does he need?"

"Three sailing ships, your Majesty."

The queen thought for a moment. Then she asked the friar:

"What should I do?"

"Call the wisest men of the country. They can tell you if this trip is possible."

Everybody knows the end of the story. Everything happened as Columbus dreamed it. He did not reach the Orient, but he discovered a richer land, which today is called America.

Tenochtitlán

(Páginas 7 a 16)

I. CONVERSACIÓN. *Conteste en español:*

1. ¿Dónde estaba la antigua ciudad de México? 2. ¿Cómo se entraba en la ciudad? 3. ¿Cuántos eran los soldados de Cortés? 4. ¿Quién vino a recibir a Cortés? 5. ¿Quién acompañaba a Montezuma? 6. ¿Qué hizo Cortés al ver al gran Montezuma? 7. ¿Cómo recibió Montezuma a Cortés? 8. ¿Hablaba español Montezuma? 9. ¿Cómo se entendían Cortés y Montezuma? 10. ¿Se alegró Montezuma de ver a Cortés? 11. ¿Cómo era Montezuma? 12. ¿Qué clase de comida le servían? 13. ¿Qué bebida le traían? 14. ¿Había buenos plateros en la Nueva España? 15. ¿Era grande la plaza de Tlatelolco? 16. ¿Qué vendían allí? 17. ¿A quién adoraba Montezuma? 18. ¿Cómo era Huitzilopochtli? 19. ¿Qué sacrificios hacían los aztecas a sus dioses? 20. ¿Qué quería poner Cortés en la torre del templo de Huitzilopochtli? 21. ¿Qué le contestó Montezuma? 22. ¿Qué echaron los habitantes de la ciudad en los cimientos del gran templo? 23. ¿Qué construyeron los españoles sobre los cimientos del gran templo?

II. MODISMOS. *Use en frases completas:*

1. cerca de	5. a caballo	9. junto a
2. se pone (un traje)	6. no es más que	10. de pie
3. debajo de	7. despedirse de	11. algunas veces
4. se alegra de	8. tiene veinte años	12. alrededor de

III. COMPOSICIÓN. *Escriba en español:*

One afternoon, Montezuma invited us to see the great temple of the Aztecs. To reach the temple, we had to pass through a large plaza. Here the Indians were buying and selling many things. We saw clothes, paper, tables, and several kinds of fruits. Some Indians were selling gold from the mines.

A little later we went to the temple. Montezuma was waiting for us. We went up together. He showed us his great idol, the Aztec god of war. It was tall and its face was wide and ugly.

"My temple is very high," Montezuma told Cortés. "From here you can see the city much better."

Below us we saw the city of Mexico and the great plaza full of people. We had been in many big cities in other parts of the world, but we had never seen a plaza as large as the plaza of Mexico.

La leyenda del Popul-Vuh

(Páginas 18 a 26)

I. CONVERSACIÓN. *Conteste en español:*

1. ¿Dónde estaba la ciudad de Gumarkaaj? 2. ¿Quién era Sajbachín Ax? 3. ¿Dónde vivía? 4. ¿Era buen tejedor? 5. ¿Qué representaban los diferentes colores según la tradición? 6. ¿Por qué se volvió loco Sajbachín Ax? 7. ¿Cuál fué su profecía? 8. ¿Por qué se puso triste el niño de ojos obscuros? 9. ¿Qué gente extraña llegó a la tierra del Quiché? 10. ¿Qué animal extraño vió el jaguar? 11. ¿Quién era don Pedro de Alvarado? 12. ¿Qué es el Popol-Vuh? 13. ¿Cómo empieza esta historia? 14. ¿Qué es el quetzal? 15. ¿Quién era fray Francisco Jiménez? 16. ¿Qué lengua empezó a estudiar fray Francisco al llegar a Guatemala? 17. ¿Olvidaron los indios a sus viejos ídolos? 18. ¿Qué le pidió el indio brujo a fray Francisco? 19. ¿Qué decidió hacer fray Francisco?

II. MODISMOS. *Use en frases completas:*

1. de pronto	5. otra vez	9. por fin
2. se dan cuenta de	6. volvió a	10. me quedan
3. trató de	7. lleno de	11. frente a
4. me senté	8. más tarde	12. es preciso

III. COMPOSICIÓN. *Escriba en español:*

Gumarkaaj is a beautiful city in a green valley. Many weavers live there. One of the weavers is making a *huipil* for the wife of an important person. One morning the husband comes to see him.

"Have you finished my wife's *huipil?*" he asks.

"I am working on it now. Do you like it?"

"Yes, it is very pretty. Can you finish it today?"

"I think so. Come back this afternoon."

But a few minutes later the weaver begins to feel ill. He goes out into the patio, and looks toward the hills. There he sees a red light. The city is burning!

Santa Rosa de Lima

(Páginas 28 a 32)

I. CONVERSACIÓN. *Conteste en español:*

1. ¿Qué hace Rosa todas las mañanas? 2. ¿Para qué ha construido la celda? 3. ¿Cómo ayuda a los pobres? 4. ¿Es hermosa? 5. ¿Qué edad tiene? 6. ¿Quiere su madre que Rosa se case? 7. ¿A quién decide entregar su corazón? 8. ¿Qué sueño tiene una noche? 9. ¿Qué ve Rosa al entrar en la iglesia? 10. ¿Quién está sentado cerca del ataúd? 11. ¿Qué dice al ver a la joven? 12. ¿Quién era el muerto? 13. ¿Qué hacía en Huancavelica? 14. ¿Qué hizo una mañana al ver a Rosa? 15. ¿Qué dijo a su amigo al regresar del jardín? 16. Entonces, ¿qué decidió hacer? 17. ¿Cómo murió? 18. ¿Qué hace Rosa después de oír la historia del penitente?

II. MODISMOS. *Use en frases completas:*

1. poco a poco
2. ni él ni ella
3. vestida de
4. todas las mañanas
5. todo lo que
6. en seguida
7. dejó caer
8. está sentada
9. antes de
10. después de
11. con cuidado
12. sin embargo

III. COMPOSICIÓN. *Escriba en español:*

Lima is a city in Peru, near the sea. There are many magnificent churches in this city. Saint Rose was born there.

Rose lived with her parents near the church of Santo Domingo. She lived a simple life. Every morning Rose took flowers to the church. She was a beautiful girl, and several wealthy men wanted to marry her. But she did not want to get married; she was more interested in helping the poor people.

If some day you visit the city of Lima, you can see her rose garden. Here Rose spent many years of her life. She worked and prayed in a small cell that she herself built. Today she is loved by everybody.

El virrey poeta

(Páginas 34 a 42)

I. CONVERSACIÓN. *Conteste en español:*

A

1. ¿Cuántos años tenía el príncipe de Esquilache cuando fué nombrado virrey del Perú? 2. ¿Por qué criticaron el nombramiento en la corte? 3. ¿Qué opinión tenía Felipe III del virrey? 4. ¿Qué hizo este virrey por la cultura del país? 5. ¿En qué ciudad está la Casa del Almirante? 6. ¿Qué había en el patio de esta casa? 7. ¿Quiénes venían al patio a buscar agua? 8. ¿Qué órdenes dió el almirante? 9. ¿A quién azotaron? 10. ¿Qué hicieron las autoridades al saber la noticia? 11. ¿Qué hizo el joven cura? 12. ¿Cómo murió el almirante? 13. ¿Qué declararon las dos mujeres en el proceso? 14. ¿Qué dijo el virrey cuando supo la noticia?

B

1. ¿Quiénes iban perdiendo la guerra civil de Potosí? 2. ¿De cuál bando era amigo el corregidor de Potosí? 3. ¿Qué orden le dió el virrey? 4. ¿Qué hizo el corregidor cuando recibió la carta del virrey? 5. ¿A dónde fué el virrey el Jueves Santo? 6. ¿A quién vió en la iglesia de Santo Domingo? 7. ¿De quién era la carta que le trajo el paje? 8. ¿Qué decía la carta? 9. ¿Cómo se llamaba la misteriosa dama? 10. ¿Qué mandó buscar a su palacio el virrey? 11. ¿Qué contenía la alacena? 12. ¿Qué pensó Jeromillo? 13. ¿Qué hizo el capitán de la guardia? 14. ¿Regresó doña Leonor a Potosí? 15. ¿Cómo murió el corregidor?

II. MODISMOS. *Use en frases completas:*

1. es verdad
2. me falta
3. se atreven a
4. tan . . . como
5. de mal humor
6. al día siguiente
7. tiene razón
8. me gusta
9. se dirige a
10. llama a la puerta
11. por fortuna
12. de nuevo

III. COMPOSICIÓN. *Escriba en español:*

Esquilache was a poet, and also a good viceroy. He made many wise laws for the country. He was one of the youngest viceroys of Peru. When he came to Lima, he was only thirty-two years old, but the king knew he was very intelligent.

Life in Lima in those days was quiet. Every Sunday people

went to church. Sometimes the viceroy invited his friends to the palace.

One day Esquilache was leaving church with some friends. They saw a pretty girl on the street.

"Who is that beautiful girl?" the viceroy asked.

"I think that she has just come to Lima," one of his friends said. "Why don't you invite her to visit the palace?"

"Of course! I'll invite her to eat with us."

"Fine! We want to meet her too."

El libertador

(Páginas 44 a 48)

I. CONVERSACIÓN. *Conteste en español:*

1. ¿Dónde estaba Bolívar cuando Napoleón se coronaba emperador? 2. ¿Por qué decidió regresar a Sud América? 3. ¿Era joven Bolívar cuando empezó a comandar el ejército? 4. ¿Estaba seguro de la victoria? 5. ¿Eran valientes los llaneros? 6. ¿Eran buenos soldados los españoles? 7. ¿Qué batalla aseguró la libertad de Colombia? 8. ¿Cuál fué la batalla final de la guerra de la emancipación? 9. ¿Dónde murió Bolívar? 10. ¿Murió rico? 11. ¿Con qué otro hombre ilustre compara el autor a Bolívar? 12. ¿Qué aspiraciones tenían Bolívar y Wáshington? 13. Según el autor, ¿cuál de los dos tuvo mayores dificultades? 14. ¿Eran hombres ilustres los que rodeaban a Wáshington? 15. ¿Quiénes eran algunos de ellos? 16. ¿Cuántos períodos presidenciales aceptó Wáshington? 17. ¿Cuántas veces aceptó Bolívar la presidencia de la Gran Colombia? 18. ¿Qué opinión tienen hoy los hispanoamericanos de Bolívar?

II. MODISMOS. *Use en frases completas:*

1. al fin	5. a la vez	9. piensa ir
2. quiere decir	6. hacerse (doctor)	10. pienso en
3. seguro de que	7. mientras tanto	11. gozar de
4. a pesar de	8. él mismo	12. hay

III. COMPOSICIÓN. *Escriba en español:*

It is the year 1804. Two young men meet on a street in Paris.

"Simón! You in Paris?"

"Yes, I have been visiting Europe. How is your wife, Maurice?"

"Very well, thanks. But why don't we go where we can talk quietly? I want to hear the news from South America."

"Of course. Why don't we go into this café?"

"Fine. Here is a table. There are so many people on the streets of Paris today! Everybody hopes to see Napoleon. Today he is going to become emperor. But tell me, what is happening in South America? It has been ten years since I visited your country."

"An independence movement has begun there. Some day we hope to win our freedom from Spain."

Los fugitivos

(Páginas 50 a 59)

I. CONVERSACIÓN. *Conteste en español:*

1. ¿Quién era don Clemente Silva? 2. ¿Qué buscaba en la selva? 3. ¿Dónde obtuvo trabajo? 4. ¿Por qué le mandó el amo azotar a las mujeres? 5. ¿Por qué mandaron a don Clemente a la selva de Yaguanarí? 6. ¿Por qué quería Cardoso vengarse del amo de la hacienda? 7. ¿Era fácil huir por la selva? 8. ¿Qué desgracia sucedió una mañana? 9. ¿Quiénes estaban aislados? 10. ¿Quiénes fueron a ayudarlos? 11. ¿Encontraron a los caucheros? 12. Cuando don Clemente perdió el rumbo, ¿qué querían hacer sus compañeros? 13. ¿Por qué no lo mataron? 14. ¿Qué hicieron para defenderse de las tambochas? 15. ¿Cómo salieron de la ciénaga? 16. ¿Para qué hicieron subir a Coutiño al árbol? 17. ¿Por qué trató de bajarse? 18. ¿Qué le sucedió? 19. ¿Murieron todos los fugitivos en la selva? 20. ¿Cómo pudo el viejo Silva hallar el rumbo por fin? 21. ¿Quiénes hallaron a don Clemente más tarde? 22. ¿Qué hizo al fin de un año?

II. MODISMOS. *Use en frases completas:*

1. sabe hablar	5. a través de	9. dice que sí
2. al lado de	6. el sol sale	10. subir a
3. se puso (furioso)	7. se miran	11. se halla
4. al llegar	8. se pierden	12. nos detuvimos

III. COMPOSICIÓN. *Escriba en español:*

Do you remember the story of the six men who tried to cross the jungle? They were trying to reach the Black River.

Walking through the jungle was almost impossible, because it is filled with danger. Besides, it rains there constantly.

One of the men knew the jungle very well. He had been there many times. However, this time he did not know where he was. Really, they were lost!

The men wanted to kill him. But then night came. It became very dark. They could hear the cries of hundreds of animals! The men could not sleep that night; they were trembling with fear. How could they get out of that place?

Los de abajo

(Páginas 61 a 71)

I. CONVERSACIÓN. *Conteste en español:*

1. ¿Dónde vivía Demetrio Macías? 2. ¿Por qué huyó de Limón? 3. ¿Quién era Luis Cervantes? 4. ¿Qué opinión tenía de la revolución? 5. ¿Quería Demetrio unirse al ejército de Natera? 6. ¿Quién era Natera? 7. ¿Tuvieron éxito los revolucionarios en el ataque a Zacatecas? 8. ¿Qué opinión tenían de Pancho Villa? 9. ¿Cómo estaba equipado el ejército de Villa? 10. ¿Tenía aeroplanos? 11. ¿Qué llevaban dentro los aeroplanos de Villa? 12. ¿Qué le sucedió a Luis Cervantes durante la batalla? 13. ¿Cómo perdió sus armas? 14. ¿Cómo pudo escaparse? 15. ¿Era valiente Demetrio Macías? 16. ¿Se alegró mucho la mujer de Demetrio de ver a su marido? 17. ¿Reconoció el hijito a su padre? 18. ¿Estaba alegre Demetrio? 19. Cuando su mujer le preguntó por qué peleaban todavía, ¿qué dijo Demetrio? 20. ¿Se quedó Demetrio con su familia? 21. ¿Qué hizo?

II. MODISMOS. *Use en frases completas:*

1. hasta que	5. de veras	9. ya no
2. a veces	6. los dos	10. más adelante
3. desde luego	7. todo el mundo	11. se echó a (llorar)
4. al principio	8. por todas partes	12. toda la noche

III. COMPOSICIÓN. *Escriba en español:*

The young man had left his home, his land and cows, because he wanted to help the cause of freedom. On reaching the town near his home, he saw an old friend.

"How are you, Luis?" he said to his friend.

"Very well, thanks. Have you decided to take part in the revolution too?"

"I'll tell you. Everybody has been talking about the revolution. They say that we all have to help, and that everything will be different after our victory. That's why I am here!"

"Well, I hope that they are right. However, I am not sure that things will change after the war. Sometimes I ask myself: Why are we fighting?"

La fiera del trópico

(Páginas 73 a 82)

I. CONVERSACIÓN. *Conteste en español:*

1. ¿Quién saltó a uno de los carros del tren? 2. ¿De quién hablaban el comerciante español y el señor Ardens? 3. ¿Cómo estaba vestido el Presidente? 4. ¿Qué se decía del Presidente? 5. ¿Había orden en el país de este dictador? 6. Entonces, ¿de qué lo acusaban? 7. ¿A dónde invitó el Presidente al señor Ardens? 8. ¿Qué les ofreció el señor Ardens al Presidente y a sus invitados? 9. ¿Hizo un buen negocio el señor Ardens? 10. Cuando estaban en la mesa, ¿qué le trajo al Presidente el dueño del hotel? 11. ¿Qué le dijo el Presidente a uno de los invitados? 12. ¿Qué hicieron los dos hombres? 13. ¿A dónde llevaron a Madriz? 14. ¿Qué decidió hacer el señor Ardens después de escuchar las anécdotas que le contaron? 15. ¿Encontró al Presidente? 16. ¿Qué sucedió cuando fué a subir al tren? 17. ¿Aceptó el señor Ardens la invitación del Presidente para conocer al país? 18. ¿Qué observó Ardens durante un mes? 19. ¿Qué le sucedió a Madriz? 20. ¿Quién lo mató? 21. ¿Quería Ardens regresar a su país? 22. ¿Se lo permitió el dictador? 23. ¿A quién vió en la estación? 24. ¿Con qué compara el autor el tren?

II. MODISMOS. *Use en frases completas:*

1. en cuanto	5. me dormí	9. a ver
2. se fijó en	6. me acuerdo de	10. con que
3. se levantó	7. hágame el favor de	11. acabo de
4. a orillas de	8. me preocupo	12. ¿qué es de . . . ?

III. COMPOSICIÓN. *Escriba en español:*

All night I was dreaming about my wife and children. The next morning I decided to go back to my country. I went to say good-by to my friend.

"May I see Mr. Vargas?" I asked on arriving at the Government Palace.

"He is not here yet."

"Tell him I was here, and that I will come back later."

I went back several times, but was never able to see Mr. Vargas.

Finally I decided to leave the country without seeing him. But when I was going to get on the train, a government agent stopped me and said that I could not leave the country.

Two hours after returning to my hotel, Mr. Vargas came to my room. He smiled and said that he had not allowed me to go, because first he wanted to show me his great city and all the things that he had done for the country.

Doña Melitona

(Páginas 84 a 93)

I. CONVERSACIÓN. *Conteste en español:*

1. Al empezar la historia, ¿qué hacía doña Melitona? 2. Había sido feliz la vieja? 3. ¿Por qué sentía tanto odio hacia el dueño de la estancia? 4. ¿Cómo eran las dos muchachas? 5. ¿Qué les preguntó doña Melitona? 6. ¿Por qué quería doña Melitona robar el cordero? 7. ¿Qué clase de cordero quería ella? 8. ¿A quién vió venir a caballo? 9. ¿Qué hizo el muchacho? 10. ¿Con quién vino el patrón a la casa de Melitona? 11. ¿Encontraron el cordero? 12. Cuando el patrón y el sargento se fueron, ¿qué hizo la vieja? 13. Describa las casas de los pobres. 14. ¿Qué bebida le dieron a doña Melitona en una de las chozas? 15. ¿Quién creía el patrón que le robaba las ovejas? 16. ¿Qué hizo el patrón al ver a doña Melitona enterrar la oveja? 17. Cuando llegaron al sitio donde creían que estaba enterrada la oveja, ¿qué dijo el sargento? 18. ¿Encontraron la oveja? 19. ¿Qué encontraron en el pozo? 20. ¿Qué decidió el juez? 21. ¿Qué indemnización pidió doña Melitona? 22. ¿Por qué pidió tan poco?

II. MODISMOS. *Use en frases completas:*

1. me olvidé de
2. de casa en casa
3. no importa
4. desde que
5. no sirve
6. de noche
7. por eso
8. están acostados
9. se pone a
10. en vez de
11. da de comer a
12. se trata de

III. COMPOSICIÓN. *Escriba en español:*

Melitona left early that morning. When she reached her friend's house everybody was still sleeping. She knocked at the door. Soon an old woman appeared.

"How are you, Secundina?" Melitona asked.

"Very well, thanks, Melitona. I have not seen you for a long time."

"I have been taking care of my sister's little daughter. She has suffered a great deal on account of the heat. Where is your husband?"

"He went to the city to try to get work."

"Did he see don Méndez, the owner of the hacienda?"

"No, don Méndez was not there."

"Well, I hope he gets work soon. I have to go now, for I left the little girl alone. Good-by, Secundina."

La piedra y la cruz

(Páginas 95 a 106)

I. CONVERSACIÓN. *Conteste en español:*

1. ¿Hacía mucho frío en la sierra? 2. ¿Vive mucha gente en esas regiones? 3. ¿Cuántos años tenía el muchacho? 4. ¿Quién era el hombre que le servía de guía? 5. ¿Dónde vivía? 6. ¿A qué clase social pertenecía el niño? 7. ¿Cómo lo llamaba el indio? 8. ¿Con quiénes tropezaron en el camino? 9. ¿Qué pidió el indio a los arrieros? 10. ¿Por qué tomó el niño dos tragos de licor? 11. ¿Qué llevaban los arrieros sobre una de las mulas? 12. ¿Qué canción cantaba el cholo? 13. ¿Era malo el camino por donde iban? 14. ¿Qué hizo el indio cuando salieron al llano? 15. ¿Por qué no quería el niño poner la piedra al pie de la cruz? 16. ¿Qué le había dicho el padre? 17. ¿Era devota su madre? 18. ¿Tenía mucha fe el indio? 19. ¿Qué es el soroche? 20. ¿Qué le sucedió al niño al llegar a una gran altura? 21. ¿Era bueno para el soroche caminar? 22. ¿Dónde estaba la cruz? 23. ¿Quedaban muchas piedras en el camino? 24. ¿Qué hizo el indio al colocar la piedra ante la cruz? 25. ¿Era bello el panorama? 26. ¿Puso el niño la piedra al pie de la cruz?

II. MODISMOS. *Use en frases completas:*

1. sirve de	5. llama la atención	9. a pie
2. asiste a	6. se cansaron	10. lo alto
3. de madera	7. se sienten	11. se quita (el sombrero)
4. sin duda	8. otra cosa	12. el más hermoso

III. COMPOSICIÓN. *Escriba en español:*

The old man and the boy were traveling through the Andes. It was difficult to breathe in these high regions. The mountains were very high, and the wind was cold. The road was full of stones, and there was always the danger of falling. But they had good horses which were accustomed to traveling over these bad roads.

It was the boy's first trip over the high mountains. That's why his father had sent the old Indian to accompany him. He had to cross the mountains in order to reach his school.

They had been traveling five hours. In spite of having always lived in the Andes, the boy began to feel cold and tired.

At times, the old man and the boy stopped to rest and to look at the magnificent view. Everything seemed very quiet there. They saw mountains in all directions. On the road below them they could see some men traveling on mules. Above was the famous cross which the old man was looking for.

Cabeza de Cobre

(Páginas 108 a 114)

I. CONVERSACIÓN. *Conteste en español:*

1. ¿Qué les dice el capataz a los dos mineros? 2. ¿Por qué los deja sin trabajo? 3. ¿Qué trabajo les ofrece? 4. ¿Por qué tiene mala fama el Chiflón del Diablo? 5. ¿Cómo es la madre del minero? 6. ¿Cómo se llama? 7. ¿Cuántos hijos le quedan? 8. ¿Está alegre Cabeza de Cobre al regresar a su casa? 9. Cuando María de los Ángeles está preparando la cómida, ¿quién entra en la casa? 10. ¿Qué le ha pasado a su marido? 11. ¿Qué le da la anciana a la joven? 12. ¿Le dice Cabeza de Cobre a su madre donde trabaja? 13. ¿Qué oyen las mujeres al mediodía? 14. ¿Qué está haciendo la anciana cuando oye la campana de alarma? 15. ¿A dónde corre? 16. ¿Por qué grita

la gente? 17. ¿Cuántos mineros mueren en el derrumbe? 18. ¿Es Cabeza de Cobre uno de los muertos? 19. ¿Qué hace la madre al ver a su hijo?

II. MODISMOS. *Use en frases completas:*

1. de diez años (de edad)	5. dentro de	9. buenas noches
2. tal vez	6. seguido de	10. hace un mes
3. hace una pregunta	7. ahora mismo	11. me parece
4. en cuanto a	8. se volvió a	12. nos acercamos a

III. COMPOSICIÓN. *Escriba en español:*

The miners complained about the hard work under ground. Every month someone died in the mines. One of the mines was called the "Devil's Mine" because many men had lost their lives there.

One morning the foreman stopped one of the miners and told him:

"There is no more work for you in this mine."

"Can you send me to another mine?"

"I don't think so. We already have too many men."

"I will accept any kind of work."

"Well, I want to help you. Do you want to work in the Devil's Mine?"

The miner knew how many men had died there. But he needed work.

"Yes," he said, "I will go to work in the Devil's Mine."

El ilustre antepasado

(Páginas 116 a 127)

I. CONVERSACIÓN. *Conteste en español:*

1. ¿A dónde iba don Juan Martín aquella mañana? 2. ¿Por qué le gustaba ir a pie a su trabajo? 3. ¿Cómo se le ocurrió la primera idea de su máquina de afilar? 4. ¿Cuál fué su primera empresa? 5. ¿Tuvo éxito con esta empresa? 6. ¿Cuál era el origen de la riqueza de los argentinos, según el embajador español? 7. ¿Hizo su fortuna don Juan Martín en la ganadería? 8. Desde que llegó de España, ¿en qué ciudad vivió siempre? 9. ¿Estaba orgulloso de su origin don Juan Martín? 10. Y su hija, ¿estaba orgullosa de su padre? 11. ¿Quiénes asistieron a la comida en la estancia de Álava? 12. Para la señora de Álava, ¿fué un éxito la comida? 13. ¿Por qué hizo

destruir la máquina de afilar? 14. ¿Por qué no le gustaban a Juana María las casas de Palermo? 15. ¿Con qué clase de casa soñaba? 16. ¿Estuvo enfermo don Juan Martín por mucho tiempo? 17. ¿Quién avisó a la señora que su padre había muerto? 18. ¿Quién fué el último que se enteró de la noticia? 19. ¿Qué dijeron los periódicos cuando murió don Juan Martín? 20. ¿Asistió mucha gente de Buenos Aires al descubrimiento del busto de don Juan Martín? 21. ¿Quiénes hicieron discursos? 22. ¿Qué deseaban ver los curiosos en la estancia de Álava? 23. ¿Les mostró la señora de Álava la máquina de afilar? 24. ¿Era muy antigua la máquina de afilar que les mostró? 25. ¿Consiguió Juana María todo lo que había deseado en la vida?

II. MODISMOS. *Use en frases completas:*

1. tropezó con	5. por último	9. hizo destruir
2. a casa	6. en medio de	10. se le ocurre
3. de todos modos	7. dejó de	11. de vez en cuando
4. cada uno	8. en efecto	12. nos enteramos de

III. COMPOSICIÓN. *Escriba en español:*

After a short trip, we reached Buenos Aires. We stopped first at a café to eat something, and then we went to look for a hotel. We found one near the center of the city.

From our window we had a good view of the city. We saw many tall buildings and modern homes. The streets were wide, and there were many green trees. There were many people on the street at that hour. Not far away was the famous Columbus Theater. To our right we could see the river, so wide that it looked like a sea.

After we rested a while, we went out to take a walk and see the city. Later we went to the theater. We were very tired when we returned to the hotel that night.

Muchachos de hoy

(Páginas 129 a 135)

I. CONVERSACIÓN. *Conteste en español:*

1. ¿Quién es Elsa? 2. ¿En qué ciudad vive? 3. ¿Cuándo recibió su diploma del colegio? 4. ¿Cómo visten las amiguitas de Elsa? 5. ¿Qué planes de vacaciones tienen los muchachos? 6. ¿Qué toman en las fuentes de soda? 7. ¿Para qué tienen que hacer excursiones al campo? 8. ¿Por qué tienen que usar el teléfono

tanto? 9. Al planear los bailes, ¿qué complicaciones se presentan? 10. ¿De qué tienen que convencer a los padres? 11. Generalmente, ¿quién gana la batalla? 12. ¿En qué movimiento tomaron parte los quinceañeros de 1800? 13. ¿A qué país imitaban las generaciones del siglo pasado? 14. ¿Eran románticos los jóvenes de aquella época? 15. ¿Cómo era la *generación del carnaval*? 16. ¿Qué les gustaba a los jóvenes después de 1930? 17. ¿Qué edad tienen los *cocacolos*? 18. ¿Qué reglas siguen? 19. ¿Por qué los critican? 20. ¿Es verdad todo lo que se dice de la nueva generación? 21. ¿En qué cosas serias se interesan?

II. MODISMOS. *Use en frases completas:*

1. en casa	5. se meten en	9. sobre todo
2. hay que	6. salimos de	10. llegó a ser
3. por lo menos	7. además de	11. se dice
4. en cambio	8. contamos con	12. la mayor parte

III. COMPOSICIÓN. *Escriba en español:*

"Whom shall we invite to our Christmas party?"

"Let's invite all our friends."

"Do you think that John will bring his sister Rose? Her parents won't let her come if her brother doesn't bring her."

"But John is so old! He is twenty-four!"

"That doesn't matter. He is a fine person, and besides, he has a new auto."

"Where does he live?"

"He lives near Mary, and he says he will bring her too."

"That's a fine idea. You must call her and tell her."

"What are you going to wear?"

"My mother has just bought me a new dress. It is blue with white roses."

"How pretty!"

VOCABULARIO ESPAÑOL-INGLÉS

This vocabulary contains all words in the text (including irregular verb forms) except words used only once and translated in footnotes; fairly exact cognates; adverbs ending in **–mente** and diminutives in **–ito**, where the regular form is listed. A dash (—) means repetition of the key word.

Abbreviations used are:

cond. conditional	*imperf.* imperfect	*pl.* plural
dim. diminutive	*ind.* indicative	*pres.* present
f. feminine	*m.* masculine	*pret.* preterite
fut. future	*p.* past	*sing.* singular
impera. imperative	*part.* participle	*subj.* subjunctive

A

a to; at, in, into; on, onto; by, for; from; *not translated when used to indicate direct object*
abajo down, below
abandonar to desert, leave; to give up
abandono neglect
abierto (*p. part. of* **abrir**) open, opened
abismo chasm, abyss
abrazar, abrazarse to embrace
abril *m.* April
abrir, abrirse to open
abrupto rugged
abuelo grandfather; *pl.* grandparents
abusar (de) to abuse
acabar to end, finish; **— de (comer)** to have just (eaten); to finish (eating)
acaso perhaps
aceptar to accept, take
acercar to bring near; **—se** (a) to approach, draw near (to); to come up to, go up to
acerqué *1st sing. pret. of* **acercar**
acertar (ie) to succeed, manage
acompañar to come with, accompany; **acompañado de** accompanied by
aconsejar to advise
acordarse (ue) de to remember
acostarse (ue) to lie down, go to bed; **acostado** lying down, in bed
acostumbrar to accustom
actividad *f.* activity
acudir to go, come (*in answer to a call*)
acuerda *3rd sing. pres. ind. of* **acordar**
adelante forward, ahead; **más —** farther on
además (de) besides, moreover
adiós good-by
administrar to administer
admirable admirable, wonderful, amazing
adobe *m.* adobe, sun-dried brick

adorar to worship
adoratorio sanctuary, teocalli
adornar to adorn, decorate, ornament
adquirir to acquire, gain
adverso adverse, unfavorable
advertir (ie, i) to advise, warn, tell
advierto *1st sing. pres. ind. of* **advertir**
afirmar to affirm, assert
agosto August
agotao = **agotado**
agotarse to be exhausted, to run out
agradar to please
agradecer to be thankful for, grateful for; **agradecido** grateful; **me (lo) agradece** he thanks me (for it)
agua water
aguardar to wait, wait for
aguja needle
¡ah! oh!
ahí there
ahora now
aislar to isolate, cut off
ajá uh-huh
al = **a** + **el**: **al (llegar)** when (he arrived), on (arriving)
alabar to praise
alacena cupboard; closet
alcanzar to overtake; to reach
alegrarse de to be glad to
alegre merry, gay, cheerful; happy
alegría merriment, joy
alejar to send away; **—se** to move away, go out of sight
alfombra carpet
alforja saddlebag
algo something; somewhat
alguien someone, somebody
algún, alguno some; a few
alma soul; heart
almirante *m.* admiral
almuerzo lunch
alrededor de around
altísimo very high
alto high; tall; summit; **lo —** (the) top
altura height, altitude
alumbrar to light (up)
alzar to raise, lift; **— los hombros** to shrug
allá there; **más — de** beyond
allí there
amable kind
amanecer *m.* dawn
amar to love, be in love (with)
amarillo yellow
ambicioso ambitious
ambos both
amenazar to threaten
ametralladora machine gun
amigo, amiga friend
amistad *f.* friendship
amo master
amor *m.* love; *pl.* love affair
análisis *m.* analysis
anciana old lady
anciano old gentleman
ancho wide, broad
andar to go, walk
andas litter, sedan chair
angustia distress, anguish
animar to encourage
ánimo courage
animosidad *f.* animosity, ill will
anochecer *m.* nightfall
ansioso (de) anxious (to)
ante before; in the presence of
antepasado ancestor
anterior (a) preceding, former; before
antes before, first; **— de (que)** before
antiguo old, ancient
anunciar to announce; advertise
añadir to add
año year; **de (cuatro) —s** (four) years old; **tiene (ocho) —s** (he) is (eight) years old
aparecer to appear
aparición *f.* vision, apparition
apenas hardly, scarcely
aplastar to crush

aprender to learn
apretar (ie) to press
aprovechar, aprovecharse to take advantage of
apuntar to aim
aquel, aquella (*pl.* **aquellos, aquellas**) that, those
aquél, aquélla that
aquello that
aquí here
árbol *m.* tree
arbusto shrub
arco bow
arma arm, weapon
armamentos armaments, military equipment
aroma aroma, scent
arquitectura architecture
arrastrar to drag
arreglar to arrange, settle
arriba up, above; upstairs; **¡—!** up and at 'em! forward!
arriero muleteer
arrodillarse to kneel
arrojar to throw; to drive
arte *m. and f.* art, skill
artículo article
asaltar to assault
asalto assault
asar to roast
ascender (ie) to ascend, rise
ascensor *m.* elevator
asegurar to assure, assert; to insure
aséptico aseptic, germ-free
asesino murderer
así so, thus, in this way; like this, like that; that; **— como** like, just as
asiento seat; chair
asistir (a) to attend, go (to)
asomar to appear, put out; **—se a** to peer out
asombro astonishment, shock
aspecto aspect; air, appearance; phase
aspiración *f.* aspiration, aim
aspirar to aspire, long
astuto astute, shrewd
asunto matter, affair
asustar to frighten, scare
atar to bind, tie, tie up
atacar to attack
ataque *m.* attack
ataúd *m.* coffin
atención *f.* attention
atreverse to dare
atrevido bold, daring
aumentar to increase
aun, aún even, still, yet
aunque although, though, even though
auto auto, car
automóvil *m.* automobile
autor *m.* author
autoridad *f.* authority
autorizar to authorize
avanzar to advance, go forward
avenida avenue
aventura adventure
aversión *f.* aversion, dislike
avisar to inform, let (someone) know
¡ay! oh!
ayer yesterday
ayuda help
ayudar to help
azotar to whip, beat
azúcar *m.* sugar
azul blue

B

bailar to dance
baile *m.* dance
bajar, bajarse to go down, come down; to descend; to lower; to get off, get out
bajo low, short; under, beneath
bala bullet
banco bench, bank
banda band, gang
bandera flag
bandido bandit
bañar, bañarse to bathe
barba beard

barco ship
barranca gorge, ravine
barrera barricade
barrio district
bastante rather, fairly
bastar to be enough
batalla battle
batallón *m.* batallion
beber to drink
bebida drink
belleza beauty
bello beautiful
besar to kiss
beso kiss
bestia beast
bien well, fine; clearly; *m.* benefit, good, welfare; *pl.* property
bienaventurado blessed are
bienvenido welcome
blanco white
boca mouth; lips
bodas wedding
bogotana (girl) from Bogotá, Bogotá (girl)
bohemio Bohemian, unconventional
bohío hut
bolero bolero (*a Spanish dance in 3/4 time*)
Bolívar, Simón (1783-1830) *revolutionary leader known as the Liberator of South America*
bolón *m.* big ball
bolsa bag
bolsillo pocket
bondad *f.* goodness; kindness
bonito pretty
borde *m.* edge
bosque *m.* forest
botella bottle
brazo arm
breve short, brief
brillante bright
brillar to shine
brisa breeze
bronce *m.* bronze
brujo witch doctor
buen, bueno good; well, fine; nice; all right
busca search
buscar to seek (out), look for; to hunt for; to get

C

caballero knight; gentleman; man
caballo horse; a — on horseback
caber to fit; **cabe** there is room for (it)
cabeza head
cacao cocoa, chocolate
cacique *m.* chief; political boss
cactos cactus
cachaco dandy
cada each, every; — **uno** each one, each
cadena chain
caer, caerse to fall; decline; **(le) cayó un rayo** lightning struck (him)
café *m.* coffee
caja box, case
calamidad *f.* calamity
calcular to figure out
caliente hot
calmar to calm, quiet
calor *m.* heat
calumnia slander
calzada causeway; highway
callar, callarse to be silent, keep still; **callado** silent
calle *f.* street
cama bed
cambiar to change
cambio change; exchange; **en —** on the other hand
camello camel
caminar to walk, travel
camino road, path; way
campana bell
campanilla *dim. of* **campana**
campo field; country; *pl.* country, countryside
canción *f.* song
candelabro candelabra, candlestick
cansar to tire (out); **—se** to get tired

cantar to sing
cantidad *f.* quantity
cañón *m.* cannon; canyon
capaces *pl. of* **capaz**
capataz *m.* overseer, foreman
capaz capable, able
capilla chapel
capitán *m.* captain
cara face
carabela caravel, sailing ship
característica characteristic
¡caramba! gosh! golly!
carbón *m.* coal
cárcel *f.* jail
cargador *m.* porter
cargar to load, carry; to charge
cargo charge
cariño affection
Carlos Charles; **Carlos V (Carlos Quinto)** Charles V (*King of Spain 1516-1556*)
carnaval *m.* Mardi Gras
carne *f.* flesh, meat
carnívoro carnivorous, flesh-eating
caro expensive
carrera race; **auto de —** racing car; **caballo de —** race horse
carro car, coach; cart
carta letter
casa house, home; **a —** home; **en —** at home
casar to marry; **—se (con)** to marry
casi almost, nearly
castigar to punish
catástrofe *f.* catastrophe, disaster
catedral *f.* cathedral
catorce fourteen
cauchero rubber gatherer
causar to cause, produce
cayó, cayeron *3rd pret. of* **caer**
celda cell
celebrar to celebrate; to applaud; to hold (*a meeting*)
celestial celestial, heavenly
cementerio cemetery, graveyard
censura censorship
centavo cent (*one hundredth part of a peso*)
centro center
ceñir (i) (de) to encircle (with)
cerca (de) near, nearby; nearly
cerdo pig
cerrar, cerrarse (ie) to shut, shut up, close; to lock, fasten
cerro hill
cerveza beer
cesar to cease, stop
cesta basket
ciego blind; blind man
cielo sky; heaven; heavens
cien, ciento (a) hundred, one hundred
ciénaga swamp
ciencia science; knowledge
cierto certain, sure; a certain
cimiento(s) foundation
cinco five
cincuenta fifty
cine *m.* movies
ciudad *f.* city
ciudadano citizen
claro clear, bright; light; clearly
clase *f.* class; kind, sort
clave *f.* key
clientela clientele, group of customers
cobrar to collect (for)
cobre *m.* copper; **Cabeza de Cobre** Copperhead
cocer (ue) to cook
cocina kitchen
código code
coger to catch, seize; to pick up; **—se (de)** to catch hold (of), grasp
cognac *m.* cognac, brandy
colación *f.* light refreshment
colgar (ue) to hang, hang up; **colgado** hanging
colocar to put, place
Colón Columbus
colonia de vacaciones underprivileged children's camp
collar *m.* necklace
combate *m.* combat, fighting
comedia play
comentar to comment
comenzar (ie) to commence, begin

comer to eat; to eat dinner; to dine
comerciante *m.* merchant
cometer to commit
comida food; meal; dinner
comienza(n) *3rd pres. ind. of* **comenzar**
como as, like; when; since; about; how; **— si** as if
¿cómo? how? what?; **— es** what is (he) like; **— le parece** what do you think of
compañero companion, comrade
compañía company
compasión *f.* compassion, pity
compatriota *m.* countryman
componer to compose
comprar to buy
comprender to understand
compuesto *p. part. of* **componer**
con with; **— (cuidado)** (careful)ly; **— que** so
conceder to grant
concluir (de) to finish, end
condenar to condemn
confiar to entrust; to trust
confuso confused
conmigo with me
conocer to be acquainted with, know; to recognize; to meet; to become acquainted with
conozco *1st sing. pres. ind. of* **conocer**
conquista conquest
conseguir (i) to obtain, get
conservar to preserve, keep
considerar to consider, regard (as)
consigo with him, with it
consiguió *3rd sing. pret. of* **conseguir**
consistir (en) to consist (of); to depend (on)
construir to build, construct
construye *3rd sing. pres. ind. of* **construir**
construyendo *pres. part. of* **construir**
construyó, construyeron *3rd pret. of* **construir**
contar (ue) to count; to tell; **— con** to count on
contemplar to contemplate, gaze at
contener(se) to contain, hold back; to restrain
contento satisfied, contented; happy
contestar to answer
continuar to continue, go on; to carry on
contra against
contrato contract; **— de alquiler** lease
contuvieron *3rd pl. pret. of* **contener**
convencer to convince; **—se** to be convinced
conversar to converse, talk
convertir (ie, i) to convert, change
convierte *3rd sing. pres. ind. of* **convertir**
copa glass, drink (*of liquor*)
copiar to copy
corazón *m.* heart
cordero lamb
cordial cordial, friendly
cordillera cordillera, mountain range
corona crown
coronar to crown
coronel *m.* colonel
correcto correct, polite
corregidor *m.* corregidor, provincial governor
correr to run, hurry
corresponder to correspond; to belong; to return (*a favor*)
corriente *f.* current
cortar to cut, cut off, cut down
corte *f.* court
cortesía courtesy
corto short
cosa thing; matter; **ésas son cosas de** that's for; **otra —** something else, anything else; **no otra —** nothing else
cosecha crop, harvest
costa coast

costumbre *f.* habit, custom
creador *m.* creator
crear to create
crecer to grow, grow up; to increase
creer to believe, think
creyendo *pres. part. of* **creer**
creyera *3rd sing. imperf. subj. of* **creer**
creyó, creyeron *3rd pret. of* **creer**
criado, criada servant
criar to raise, bring up
criatura creature
crimen *m.* crime
cristal *m.* crystal, glass
cristiano Christian
Cristo Christ
Cristóbal Christopher
criticar to criticize
cruces *pl. of* **cruz**
crucificado crucified
crueldad *f.* cruelty
cruz *f.* cross
cruzar, cruzarse to cross
cuadro picture
cual: el —, la — who, which; **lo —** which
¿cuál? which? which one?
cualquier, cualquiera any
cuando when
¿cuándo? when?
cuanto as many as; **en —** as soon as; **en — a** as for
¿cuánto? how much? how many?
cuarenta forty
cuarto fourth; room
cuatro four
cubierto *p. part. of* **cubrir**
cubrir to cover
cuchillo knife
cuelga *3rd sing. pres. ind. of* **colgar**
cuello neck
cuenta *3rd sing. pres. ind. of* **contar**; bill; count; **darse — de** to realize
cuento story, tale
cuero skin, hide
cuerpo body
cueruda wench
cuesta slope, grade
cuestión *f.* question; matter
cuidado care
cuidadoso careful
cuidar to take care (of), care (for)
culebra snake
cumbia cumbia (*a native Colombian dance*)
cumbre *f.* peak, summit
cumplir to fulfill, keep; to carry out
Cupido Cupid (*god of love*)
cura *m.* priest
curandera herb doctor
curro dude
curso course
cuyo whose, of which

CH

chicle *m.* chewing gum
chico small
chiflón *m.* tunnel, gallery
chilca chilca (*a resinous plant used as firewood*)
chimenea chimney
choclo ear of green corn; roasting ear
cholo half-breed
choza shack

D

dama lady
dao = **dado**
dar to give; **— de comer a** to feed
de of; from; about; with; than; in, on; for; by; to; **(cruz) — (piedra)** (stone cross); **(el libro) — (María)** (Mary)'s (book); **(sorprendido) — que** (surprised) that
dé *3rd sing. pres. subj. of* **dar**
debajo (de) under, underneath
deber to owe; ought, should; must, must have; (*negative*) cannot, could not; *m.* duty; **debe de** must
débil weak

decir to say, tell; **es —** that is to say
declarar to state, declare; to testify
decrecer to decrease, grow smaller
dedicar to dedicate, devote
dedo finger
dejar to leave; to let; **— caer** to drop; **— de** to stop; to fail to
del = **de** + **el**
delantal *m.* apron
delante (de) in front (of), before; ahead (of)
demás (the) rest, others
demasiado too, too much; too many
dentro (de) inside, within
depender (de) to depend (on)
derecho right; straight; **derecha** right
derrumbe *m.* cave-in
desaparecer to disappear
descansar to rest
descendiente *m.* descendant
descortés discourteous, impolite
descubierto *p. part. of* **descubrir**
descubriese *3rd sing. imperf. subj. of* **descubrir**
descubrimiento discovery; unveiling
descubrir to discover; to uncover; to find out
desde from, since; **— que** since, ever since; **— luego** of course, right away
desear to wish, desire
desembarcar to disembark, land
deseo wish, desire
desgracia misfortune
deshonor *m.* dishonor
desilusión *f.* disillusionment, disappointment
desilusionado disillusioned
desinteresado disinterested
desmontar to dismount
desnudo naked
desobediencia disobedience
desorden *f.* disorder
despedirse (i) (de) to say good-by (to)
despertar (ie) to awaken; to wake up
despidiendo *pres. part. of* **despedir**
despidió *3rd sing. pret. of* **despedir**
despierta(n) *3rd pres. ind. of* **despertar**
despreciar to scorn
desprecio scorn, contempt
después afterward, after, later; then; **— de (que)** after
destinao = **destinado** destined, intended
destino fate, destiny
destruir to destroy
destruyen *3rd pl. pres. ind. of* **destruir**
destruyendo *pres. part. of* **destruir**
destruyó, destruyeron *3rd pret. of* **destruir**
detalle *m.* detail
detener to hold back, stop; to detain; **—se** to stop; to wait
detrás (de) behind
detuvo, detuvieron *3rd pret. of* **detener**
devoción *f.* prayer, worship
devorar to devour
devoto devout
di *sing. impera. of* **decir**
día *m.* day; **al — siguiente** the next day; **buenos —s** good morning
diablillo *dim. of* **diablo**
diablo devil
diabólico diabolical, devilish
diamante *m.* diamond
diario daily
diccionario dictionary
dice(n) *3rd pres. ind. of* **decir**
dices *2nd sing. pres. ind. of* **decir**
diciembre *m.* December
diciendo *pres. part. of* **decir**
dictador *m.* dictator
dicho *p. part. of* **decir**
dieciocho eighteen
diente *m.* tooth
dieran *3rd pl. imperf. subj. of* **dar**
dieron *3rd pl. pret. of* **dar**
diese(n) *3rd imperf. subj. of* **dar**

diez ten; **— y (nueve)** (nine)teen
difícil difficult, hard
dificultad *f.* difficulty
diga(n) *3rd pres. subj. of* **decir**
digamos *1st pl. pres. subj. of* **decir**
digno worthy
digo *1st sing. pres. ind. of* **decir**
dije *1st sing. pret. of* **decir**
dijo, dijeron *3rd pret. of* **decir**
dinamita dynamite
dinero money
dió *3rd sing. pret. of* **dar**
dios *m.* god; **Dios** God, Lord; **Dios mío** good Lord, good heavens; **Dios se lo pague** may God reward you; **por Dios** for heaven's sake
diosa goddess
dirá(n) *3rd fut. of* **decir**
dirección *f.* address, direction
diría *3rd sing. cond. of* **decir**
dirigir to direct, guide; **—se (a)** to make one's way (to); to address, speak to
discurso speech
discutir to argue, discuss
diseño design
disolverse (ue) to dissolve
disparar to fire, shoot
disponerse a to get ready to
disputa dispute, quarrel
disputarse to dispute, claim
distinguir to distinguish, make out
diversión *f.* diversion, amusement
divertir (ie, i) to amuse, entertain
divirtió *3rd sing. pret. of* **divertir**
doce twelve
dolor *m.* pain, ache; sorrow; **— de cabeza** headache
dominar to rule, control; to be in control
domingo Sunday; **Domingo** Dominic
don Don (*a title used before the Christian names of men*)
donde where, (in) which
¿dónde? where?; **¿a —?** where . . . to?, where?
doña Doña (*a title used before the Christian names of women*)
dormir (ue, u) to sleep; **—se** to go to sleep; **quedarse dormido** to fall asleep
dos two; **los —** both
doy *1st sing. pres. ind. of* **dar**
duda doubt; **sin —** doubtless
dudar (de) to doubt, be doubtful (of)
duende *m.* elf, goblin
dueña mistress; owner
dueño master; owner
duerma *3rd sing. pres. subj. of* **dormir**
duerme(n) *3rd pres. ind. of* **dormir**
dulce sweet
durante during, for
durar to last
durmiendo *pres. part. of* **dormir**
duro hard

E

e and (*used before words beginning with* **i-** *and* **hi-**)
eco echo
echar to throw, thrust; to drive; to pour; **—se a** to start to
edad *f.* age
edificio building
educador *m.* educator
efecto effect; **en —** as a matter of fact
efusivo warm
egoísmo egoism, selfishness
Einstein, Albert (*1879-1955*) *famous physicist, author of the theory of relativity*
ejemplo example; **por —** for example, for instance
ejercicio exercise
ejército army
el the; that; **— que** he who, the one that, the one who; which, that
él he, him, it
eludir to elude, evade
ella she, her, it
ello it; the matter

ellos, ellas they, them
embajador *m.* ambassador
embargo: sin embargo nevertheless, still
eminente eminent, prominent
empecé *1st sing. pret. of* **empezar**
emperador *m.* emperor
empezar (ie) to begin
empieza *3rd sing. pres. ind. of* **empezar**
emplear to employ, use
empresa firm, company
empresario rubber contractor
empujar to push
en in, into; on, upon; at; **de (corte) — (corte)** from (court) to (court)
encantado delighted
encender (ie) to light, kindle, start (*a fire*)
encerrar (ie) to shut up; to lock
encontrar (ue) to find; to come upon, meet; **—se (enfermo)** to be (sick)
encuentra(n) *3rd pres. ind. of* **encontrar**
encuentro *1st sing. pres. ind. of* **encontrar**
enemigo enemy
enfermo ill, sick; sick person
enojado angry
enorme enormous
enredadera vine
Enrique Henry
entender (ie) to understand
enterar to inform; **—se de** to find out
entero whole, entire
enterrar (ie) to bury
entiende(n) *3rd pres. ind. of* **entender**
entiendes *2nd sing. pres. ind. of* **entender**
entierren *3rd pl. pres. subj. of* **enterrar**
entonces then, at that time
entrada entrance
entrar to go in, come in; **— en** to enter, go into
entre between; among, amid
entregar to deliver, hand over, give
entusiasmo enthusiasm
enviar to send
envoltorio package
envolver (ue) to wrap
envuelto *p. part. of* **envolver**
época period, time
era *1st and 3rd sing. imperf. of* **ser**; era, age
éramos *1st pl. imperf. of* **ser**
eran *3rd pl. imperf. of* **ser**
eres *2nd sing. pres. ind. of* **ser**
es *3rd sing. pres. ind. of* **ser**
escalera stairway, stairs
escándalo scandal
escapar, escaparse to escape
escena scene
esclavo, esclava slave
escoger to choose, select
escribir to write
escrito *p. part. of* **escribir**
escuchar to listen, listen to
escuela school
ese, esa (*pl.* **esos, esas**) that, those
ése, ésa that
esencial essential
esfuerzo effort
esmeralda emerald
eso that, that fact; those; **por —** that's why, because of that
espacio space
espada sword
espalda shoulder; back; *pl.* back
España Spain; **la Nueva —** Mexico
español Spanish; *m.* Spaniard
española Spanish woman
esperanza hope
esperar to hope, expect; to wait, wait for, await
espíritu *m.* spirit; mind
espiritual spiritual
espléndido splendid
esplendor *m.* splendor
esposa wife
esposo husband
está *3rd sing. pres. ind. of* **estar**
establecer to establish
establecimiento establishment

establo stable
estación *f.* station; railroad station
estado state
están *3rd pl. pres. ind. of* **estar**
estancia ranch, estate
estanciero rancher
estar to be
estás *2nd sing. pres. ind. of* **estar**
estatua statue
este, esta (*pl.* **estos, estas**) this, these
éste, ésta (*pl.* **éstos, éstas**) this, this fellow, this one; these; the latter; he, she, it, they
esté *3rd sing. pres. subj. of* **estar**
Estela Stella
estimar to esteem, respect; to value, like
esto this
estoy *1st sing. pres. ind. of* **estar**
estrella star
estricto strict
estudiar to study
estuve *1st sing. pret. of* **estar**
estuviera(n) *3rd imperf. subj. of* **estar**
estuviésemos *1st pl. imperf. subj. of* **estar**
estuvo *3rd sing. pret. of* **estar**
eternidad *f.* eternity
eterno everlasting, eternal
evadir to evade, avoid, escape
evitar to avoid
excepcional exceptional
exclamar to exclaim
excomulgar to excommunicate
excursión *f.* excursion, trip
exigir to demand, require
éxito success
expiar to atone for
explicable explicable, understandable
explicación *f.* explanation
explicar to explain
expondría *3rd sing. cond. of* **exponer**
extender (ie), extenderse to extend, spread (out)
extensión *f.* extension, expanse
extracción *f.* extraction, removal
extraño strange
extraordinario extraordinary, unusual
extremo end; **— de la mesa** foot of the table

F

fácil easy
facilidad *f.* ease
falta lack, want
faltar to be lacking; to be missing; to get scarce; **le falta** he lacks
fama fame; reputation
fardo bundle, load
fatiga fatigue, weariness
favor *m.* favor; *pl.* favor, esteem; **hágame el — (de)** please
favorecer to favor
fe *f.* faith
febrero February
federales *m. pl.* Federals, government forces
Felipe Philip; **Felipe III (Tercero)** Philip III (*King of Spain 1598-1621*)
feliz happy; fortunate, lucky
fenómeno phenomenon
feo ugly
ferviente fervent
festivo gay, witty
fiebre *f.* fever
fiera wild beast
fiesta fiesta, party
figurarse to imagine, fancy; **figúrese** just imagine
fijar to fix; **—se en** to notice; **fíjese** just imagine
fijo fixed; *pl.* staring
filosofía philosophy
filosóficamente philosophically
filósofo philosopher
fin *m.* end; **al —** at last; **en —** in short; **poner — a** to put an end to, stop; **por —** finally
financiero financier, financial
fino fine, delicate; sharp; subtle
físico physical
flaco thin

flecha arrow
flor *f.* flower
flotar to float
fondo bottom; explanation; background, back
formación *f.* formation, shape
formidable formidable, dreadful
fortuna fortune, luck
fraile *m.* friar, monk; brother
francés, francesa French
Francisco Francis
franco frank
frase *f.* phrase; sentence
fray friar, brother
frecuente frequent
frente *m.* front; *f.* forehead, brow, face; **— a** in front of, facing; **al — de** leading, commanding
fresco cool; fresh
frígido frigid, intensely cold
frío cold
frívolo frivolous
fruta fruit
fué *3rd sing. pret. of* **ir** *and* **ser**
fuego fire; **armas de —** firearms
fuente *f.* fountain
fuera *3rd sing. imperf. subj. of* **ir** *and* **ser**; outside
fueran *3rd pl. imperf. subj. of* **ir** *and* **ser**
fueron *3rd pl. pret. of* **ir** *and* **ser**
fuerte strong
fuerza force, strength; **por la —** forcibly, by force
fuesen *3rd pl. imperf. subj. of* **ir** *and* **ser**
fugitivo fugitive, runaway
fuí *1st sing. pret. of* **ir** *and* **ser**
fuimos *1st pl. pret. of* **ir** *and* **ser**
fumar to smoke
fundar to found, base
furia fury, rage
furtivo furtive, stealthy
fusil *m.* gun, rifle
fusilar to shoot

G

gallina hen, chicken
ganadería cattle raising, ranching
ganado cattle, livestock
ganar to win, conquer
garantido guaranteed
gastar to waste; to spend
género type, class
génesis genesis, creation
genio genius
gente *f.* people, folks
gigante *m.* giant
gloria glory; heaven
glorioso glorious; heavenly
Glostora Glostora; brilliantine, hair oil
gobernador *m.* governor
gobernar (ie) to govern
gobierna *3rd sing. pres. ind. of* **gobernar**
gobierno *1st sing. pres. ind. of* **gobernar**; government
golpe *m.* blow
goma rubber
gordo fat
gozar (**de**) to enjoy
gracias thanks
grada (tiered) step
gran *used for* **grande** *before a sing. noun*
granada hand grenade
grande large, big; great
grano grain
grasa grease
grave serious, grave
gringo American (*U.S.A.*)
gritar to shout
grito shout, cry
grupo group
guardar to keep; to put away
güeno = **bueno**
guerra war
guerrillero guerrilla fighter
guía *m.* guide
guiar to guide
gustar to please, be pleasing; **le gusta** (he) likes
gusto pleasure; taste, liking

H

ha *3rd sing. pres. ind. of* **haber**
haber to have; **ha de** (he) is to,

will; should, must; **había, hubo** there was, there were
habitación *f.* room; bedroom
habitante *m.* inhabitant
hablar to speak, talk
habrá *3rd sing. fut. of* **haber**
habría *3rd sing. cond. of* **haber**
hacer to make, do; **hace (construir la casa)** he has (the house built); **hace (ocho días)** (a week) ago; **hace (ocho días) que (está aquí)** he has (been here) for (a week); **—se** to become
hacia toward
hacienda hacienda, plantation; estate
haga *3rd sing. pres. subj. of* **hacer**
halagar to flatter
hallar to find; **—se** to be
hambre *f.* hunger; **con —** hungry; **tener —** to be hungry
hambriento hungry
han *3rd pl. pres. ind. of* **haber**
harapos rags
haremos *1st pl. fut. of* **hacer**
haría *3rd sing. cond. of* **hacer**
hasta up to, as far as, to; until, till; even; **— que** until
hay there is, there are; **— que** it is necessary; you have to
haya *3rd sing. pres. subj. of* **haber**
he *1st sing. pres. ind. of* **haber**
hecho *p. part. of* **hacer**; act, deed; fact
hemos *1st pl. pres. ind. of* **haber**
herir to wound, hurt
hermana sister
hermano brother; *pl.* brother and sister
hermoso beautiful, fair; fine
hicieron *3rd pl. pret. of* **hacer**
hiciese *3rd sing. imperf. subj. of* **hacer**
hierba grass
hierro iron
hija daughter
hijo son; child; *pl.* children
hilo thread
hispanoamericano Spanish American
histérico hysterical
historia history; story
historiador *m.* historian
historietas ilustradas comic books
hizo *3rd sing. pret. of* **hacer**
hoja leaf
hombre *m.* man; fellow
honra honor
honrar to honor
hora hour; time
horca gallows
horizonte *m.* horizon
hormiga ant
horrorizar to horrify
hoy today
Huancavelica *silver-mining town in Peru*
hubiera(n) *3rd imperf. subj. of* **haber**
hubo *3rd sing. pret. of* **haber**
huella mark, print
hueso bone
huir to flee, run away
humanidad *f.* humanity
húmedo damp
humilde humble
humillación *f.* humiliation
humo smoke
humor *m.* humor, mood; **de mal —** in a bad humor
hundir, hundirse to sink
huracán *m.* hurricane
huyen *3rd pl. pres. ind. of* **huir**
huyendo *pres. part. of* **huir**
huyeran *3rd pl. imperf. subj. of* **huir**
huyó *3rd sing. pret. of* **huir**

I

iba(n) *3rd imperf. of* **ir**
íbamos *1st pl. imperf. of* **ir**
idéntico identical
iglesia church
ignorar to be ignorant of, not know
igual equal; **igualmente** equally, just as

ilustre illustrious, distinguished
imagen *f.* image
imaginarse to imagine
impaciente impatient
impedir (i) to prevent, keep from
implorar to implore, beg (for)
importar to matter
impotente impotent, powerless
improvisar to improvise, make up
incienso incense
incunable *m.* rare old book
indicar to indicate, show
indio Indian
indispensable indispensable, essential
indolente indolent, lazy
inexpresivo inexpressive, expressionless
infancia infancy, childhood
infelices *pl. of* **infeliz**
infeliz unhappy, wretched; unlucky, unfortunate
infierno hell
infinito infinite, endless
Inglaterra England
inglés English; *m.* Englishman
ingratitud *f.* ingratitude, ungratefulness
ininteligible unintelligible
inmediato immediate
inmenso immense
inmensidad *f.* immensity, vastness
inmortalizar to immortalize
inmóvil motionless, still
insaciable insatiable, greedy
inspeccionar to inspect
instante instant, moment
instintivo instinctive
interés *m.* interest; concern
interesar to interest
interesante interesting
interminable interminable, never-ending
intérprete *m.* interpreter
interrumpir to interrupt
inútil useless
invencible invincible, unconquerable
invierno winter
invitado guest
involuntario involuntary, unwilling
ir to go; **—se** to go away, leave; **se va (aumentando)** it is gradually (increasing); **va (leyéndolo)** he is (reading it); **va a (verlo)** he is going to (see it); **vamos, vámonos** come on, let's go; **vaya** well now
Isabel Isabella
isla isle, island
izquierdo, izquierda left

J

jadear to pant
jaguar *m.* jaguar, tiger cat
Jaime James
jamás never, (not) . . . ever
jardín *m.* garden
jarro jar; pitcher, jug
jaula cage
jefe *m.* chief, leader; boss
Jerónimo Jerome
Jesucristo Jesus Christ
jesuita *m.* Jesuit (*member of the Society of Jesus, religious order founded by Ignacio de Loyola in 1534*)
jinete *m.* rider
José Joe
joven young; *m.* young man; *f.* young woman, girl; *pl.* young people
jovencito young fellow; **jovencita** young girl; *pl.* young folks
joya jewel
Juan John
Juana Jane
jueces *pl. of* **juez**
juego game
jueves *m.* Thursday
juez *m.* judge
jugar (ue) to play
juicio judgment; sense
julio July
junto together; **— a** close to, beside, next to
jurar to swear

justo just; right
juventud *f.* youth
juzgar to judge

K

kaki khaki

L

la the; her, you, it, that; **— que** the one who, the one that; which
labio lip; *pl. often* mouth
labor *f.* work, design, embroidery
lado side; **al — de** beside; with
ladrón *m.*, **ladrona** thief
lago lake
lágrima tear
lámpara lamp
lana wool
lancha launch, motorboat
lanza lance
lanzarse to rush
largo long
las the; them; **— (dos)** (two) o'clock; **— que** which
le him, her, you, it; to, at, on, for, from, into him (you, her, them, it); *not translated when used with indirect object nouns*
leer to read
lejano distant
lejos far, far off, far away; far behind
lengua tongue; language
lento slow
león *m.* lion, mountain lion
les them, to them, for them; you, to you; *not translated when used with indirect object nouns*
letra letter
levantar to raise, lift; **—se** to get up, stand up; to take up arms
ley *f.* law
leyenda legend
leyó *3rd sing. pret. of* **leer**
libertad *f.* freedom
libertador *m.* liberator
librar to free, deliver; **—se** to escape
libre free
libro book
licor *m.* liquor
ligero light, slight; swift, fast; quick(ly)
limpio clean, clear
lindísimo very pretty
lindo pretty
línea line
lo the, that; him, you, it; **— (único)** the (only) thing; **— (bueno)** what's (good); **— que** what, whatever; **todo — (que)** all (that), everything (that)
loco crazy, mad
lodo mud
lograr to accomplish, succeed in
lona canvas
los the; those, them; you; **— que** those who, the ones that, which
luchar to fight
luego presently, in a minute, soon; then, next; **desde —** of course, right away
lugar *m.* place, spot
Luis Louis
luna moon
luz *f.* light

LL

llamada call
llamao = **llamado**
llamar to call, name; to knock; to attract (*attention*); **se llama** (his) name is
llanero (*Venezuelan*) cowboy
llano plain
llave *f.* key
llavecita *dim. of* **llave**
llegar (a) to arrive, get (to); to come (to); to reach
llegué *1st sing. pret. of* **llegar**
llenar to fill
lleno (de) full (of), filled (with)
llevar to carry, take; to wear; to lead

llorar to cry, weep
llover (ue) to rain
lluvia rain, shower

M

machete *m.* machete (*large heavy knife*)
madera wood; **de —** wooden
madre *f.* mother
madrugada early morning
maduro mature
maestro, maestra teacher
magnífico splendid, magnificent
maíz *m.* corn, maize
majestad *f.* majesty
mal badly, poorly; *used for* **malo**; *m.* evil
Málaga *province in southern Spain, famous for its wine*
maldecir to curse
maldiciendo *pres. part. of* **maldecir**
maldición *f.* curse
maldijo *3rd sing. pret. of* **maldecir**
malezas thicket
malo, mal bad, wicked, evil
maltratar to abuse, mistreat
mamá mama
mambo mambo (*a fast, rhythmic Cuban dance*)
mandar to order, command; to send
manera way, manner; **de (esta) —** in (this) way
manía mania, whim
mano hand
manta blanket
manuscrito manuscript
manzanilla camomile tea
mañana morning; tomorrow
máquina: máquina de afilar grindstone; **máquina de escribir** typewriter
mar *m. and f.* sea
maravilloso marvelous, wonderful
marcar to mark
marcha: en marcha moving
marchar to march; to walk, go
margen *f.* margin
María Mary
marido husband
marinero mariner, seaman, sailor
mas but
más more, any more; further; most; **— (viejo)** old(er), old(est); **— de (diez)** more than (ten); **no (volverá) —** (he will) not (come back) any more; **no (tiene) — que (tres)** (he has) only (three)
máscara mask
matar to kill
mate maté, Paraguay tea
matemáticas mathematics
maternal maternal, motherly
mayor greater; greatest, biggest; elder, older
me me, to me, from me, in me; myself, to myself
mechón *m.* lock
médico doctor
medio half, a half; means; **en — de** in the midst of
mediodía *m.* noon
mejor better, best
melancolía melancholy, sadness
mencionar to mention
mendigar to beg
menos less; **por lo —** at least
mensaje *m.* message
mentira lie, falsehood; **es —** it's not true
mercaderías goods, merchandise
mes *m.* month
mesa table
mesmo = mismo
meterse (en) to get (into)
mi my
mí me, myself
miedo fear
mientras (que) while
mil (a) thousand, one thousand
milagro miracle, wonder
milagroso miraculous
militar military
milpa cornfield
millón *m.* million
millonario millionaire
ministro minister

mío, mía my; **el —** mine
mirada glance, look
mirar to look, look at
misa Mass
miserable miserable, wretched
miseria wretchedness, poverty
mismo self, very; same; **(él) —** (he him)self; **ahora —** right now; **el — (día)** the same (day); **el — que (él)** the same as (he)
misterio mystery
misterioso mysterious
mitad *f.* half
mitología mythology
mocasines *m. pl.* loafers, "mocs"
modismo idiom
modo way, manner; means; **de todos —s** at any rate
molestar to bother, annoy
momento moment, minute
monarca *m.* monarch
monosílaba monosyllable
montaña mountain
montar to mount
Montezuma Montezuma (*Aztec emperor*)
moreno dark, brunet
morir (ue, u), morirse to die
moro Moor
mortal deadly
mostrar (ue) to show, display
mover (ue), moverse to move
movimiento movement
moza girl
mozo waiter
muchacha girl
muchacho boy; *pl.* children
mucho much, many, a lot (of); (a) long; greatly, hard, very; a great deal (of)
muebles *m. pl.* furniture, furnishings
muere(n) *3rd pres. ind. of* **morir**
muerte *f.* death; **dar —** to put to death, kill
muerto *p. part. of* **morir;** dead man
museo museum
muestra *3rd sing. pres. ind. of* **mostrar**
muestre *3rd sing. pres. subj. of* **mostrar**
mueva *3rd sing. pres. subj. of* **mover**
mujer *f.* woman; wife
multiplicar to multiply
multitud *f.* crowd
mundo world; **todo el —** everybody
murió *3rd sing. pret. of* **morir**
murmurar to mutter; **se murmuraba** it was gossiped
muy very

N

nacer to be born
nacionalidad *f.* nationality
nada nothing, (not) . . . anything; **— más** nothing else; that's all
nadie nobody, no one, (not) . . . anyone
Napoleon I *French emperor 1804-1815*
naturaleza nature
nave *f.* nave, aisle
navegante *m.* navigator
Navidad *f.* Christmas
necesidad *f.* necessity, need
necesitar to need
negar (ie) to deny
negocio business; deal; *pl.* business
negro black
nervioso nervous
ni nor, (and) not; not even; **— . . . —** neither . . . nor
nicho niche, recess
niebla haze, fog
niegan *3rd pl. pres. ind. of* **negar**
nieto grandson
níker *m.* knicker
ningún, ninguno no, (not) . . . any, none
niña (little) girl, child
niño (little) boy, child; *pl.* children
níquel *m.* nickel
no no; not

noche *f.* night; **buenas —s** good night, good evening; **de —** at night; **media —** midnight
nombrar to name; to appoint
nombre *m.* name
norte *m.* north
nos us, to us, for us, at us
nosotros we, us, ourselves
notar to note, notice
noticia notice; piece of news; *pl.* news
novecientos nine hundred
novia bride
novicio novice, inexperienced
noviembre *m.* November
novio sweetheart
nube *f.* cloud
nubecilla *dim. of* **nube**
nuestro our; **los —s** ours
nueve nine
nuevo new; **de —** again
número number
numeroso numerous; a great number of
nunca never, (not) . . . ever

O

o or
obispo bishop
objeto object, purpose
obligar to oblige, force
obra work
obrero worker
obscuridad *f.* darkness
obscuro dark
observación *f.* observation, remark
observar to observe, watch
obtener to get, secure, obtain; to win
obtuve *1st sing. pret. of* **obtener**
obtuvo *3rd sing. pret. of* **obtener**
octubre *m.* October
ocultar, ocultarse to hide
oculto hidden
ocupar to occupy, fill; to take
ocurrir to occur, happen; **se le ocurre** he thinks of, (it) occurs to him
ochenta eighty
ocho eight, eighth
odio hate
oeste *m.* west
ofender to offend, make angry
oficial *m.* official, officer
oficina office
ofrecer to offer
ofrenda (*religious*) offering, gift
oído ear
oiga *3rd sing. pres. subj. of* **oír**
oír to hear
ojillo *dim. of* **ojo**
ojo eye
olvidao = **olvidado**
olvidar, olvidarse (de) to forget
olla olla, stewpot
oponer(se a) to oppose
opuso *3rd sing. pret. of* **oponer**
oración *f.* prayer
orden *f.* order, orders; command
ordinario ordinary, usual
orgullo pride
orgulloso proud
orientación *f.* bearings
origen *f.* origin
orilla bank; shore; **a —s** by the shores
oro gold
otoño autumn
otro other, another
oveja sheep
oye *3rd sing. pres. ind. of* **oír**
oyó, oyeron *3rd pret. of* **oír**

P

pa = **para**
paciencia patience
paciente patient
padre *m.* father; *pl.* father and mother, parents
¡paf! bang!
pagar to pay, pay for, pay back
pague *3rd sing. pres. subj. of* **pagar**
país *m.* country
paja brava wild grass
pájaro bird

paje *m.* page
palabra word
pálido pale
palio canopy
palma palm, palm tree
palo pole
paloma dove
pan *m.* bread; — **dulce** sweet rolls
pañuelo handkerchief
papá papa, daddy
papel *m.* paper; role, part
par *m.* pair; couple
para for, to, in order to; — **que** in order that, so that
paralizado paralyzed
parar, pararse to stop
parcialidad *f.* partiality, favoritism
parecer to seem, appear; to look, look like; **le parece** (he) thinks, believes
pared *f.* wall
parezca *3rd sing. pres. subj. of* **parecer**
pariente *m.*, **parienta** relative
parte *f.* part, share; **la mayor** — most; **por todas —s** everywhere, in all directions
particular private
partir to depart, leave
pasado past
pasar to pass; to pass by, go by; to cross; to spend (*time*); to happen, take place
pasearse to stroll, walk back and forth
paseo walk; ride; drive
paso step, pace
pata leg (*of an animal*)
patata potato
patio courtyard, patio
patria country, fatherland
patriarca *m.* patriarch
patrón *m.* master
patroncito little master
paz *f.* peace
pecado sin
pecho chest, breast
pedazo piece
pedido order
pedir (i) to ask, ask for; to request; **me (lo) pide** he asks me for (it)
Pedro Peter
pegar to slap; **—se** to cling
peligro danger
pelo hair, fur
pena pain; sorrow
penitencia penitence, penance
penitente penitent; one who repents of sin
pensamiento thought
pensar (ie) to think, intend; — **en** to think of, think about
pensativo thoughtful, absorbed
peña boulder
peor worse
pequeño little, small
percal *m.* percale, cheap cotton cloth
perder (ie) to lose, ruin; **—se** to get lost
pérdida loss
perdón *m.* pardon, forgiveness
perdonar to forgive, pardon; **perdone** forgive me
perfume *m.* perfume, scent
periódico newspaper, paper
periodista journalist, newspaper man
perla pearl
permanecer to remain
permitir to allow, permit; to let
pero but
perro dog
perseguir (i) to pursue
persiguiendo *pres. part. of* **perseguir**
pertenecer to belong
pesado heavy
pesar to weigh; *m.* grief, trouble, sorrow; **a — de** in spite of
pesebre *m.* manger
pesimista *m.* pessimist
peso peso (*Spanish American monetary unit*)
pico peak
pide *3rd sing. pres. ind. of* **pedir**
pidiendo *pres. part. of* **pedir**
pidió, pidieron *3rd pret. of* **pedir**

pido *1st sing. pres. ind. of* **pedir**
pie *m.* foot; **a —** on foot; **de —** standing
piedra stone
piedrecita *dim. of* **piedra**
piel *f.* skin
piensa *3rd sing. pres. ind. of* **pensar**
pierde *3rd sing. pres. ind. of* **perder**
pierna leg
pieza piece
pintar to paint, picture
pirámide *m.* pyramid
piso floor
placer *m.* pleasure
planear to plan
plata silver
plataforma platform
platero silversmith
plato plate, dish
plaza (*public*) square; market place
pluma feather; pen
pobre poor; *pl.* poor (people)
poco little, few; a few; short; **— a —** little by little
poder to be able, can, could; may, might; *m.* power
podrá *3rd sing. fut. of* **poder**
podremos *1st pl. fut. of* **poder**
podría(n) *3rd cond. of* **poder**
Polo, Marco *thirteenth-century Venetian traveler whose book was for centuries the main source of information on the Orient*
poncho poncho (*blanket-like cloak with a slit in the middle for the head*)
poner to put, place; **—se** to turn, become; to get; **—se a** to start to; **se pone (el sombrero)** he puts on (his hat)
ponga(n) *3rd pres. subj. of* **poner**
pongas *2nd sing. pres. subj. of* **poner**
pongo *1st sing. pres. ind. of* **poner**
poquito little bit
por by, through; on account of, because of; for, for the sake of; along, down, over; in order to
porcelana porcelain
porque because; for
poseer to possess
pozo pit
práctico practical
precio price
preciso precise, exact; necessary
preferir (ie, i) to prefer; rather
prefiere *3rd sing. pres. ind. of* **preferir**
pregunta question; **hacer una —** to ask a question
preguntar to ask
prender to seize; arrest
preocupar, preocuparse to worry
preparar, prepararse to prepare, get ready; **preparado** prepared, ready
presentimiento presentiment, premonition
presidencial presidential
prestar to lend
primavera spring, springtime
primer, primero first
principal principal, main
príncipe *m.* prince
principio beginning; principle; **al —** at first
prisión *f.* prison
prisionero prisoner
privado private
probar (ue) to prove; to test, try; to taste, sample
proceder to proceed, go on, take action
proclamar to proclaim
procesión *f.* procession, parade
proceso trial
procurar to try
produjo *3rd sing. pret. of* **producir**
profetizar to prophesy
profundo profound, deep
prometer to promise
pronto soon; quickly; **de —** suddenly, all of a sudden
pronunciar to pronounce, speak
propiedad *f.* property

propio own
proponer to propose; to suggest
propósito purpose, intention
prosperidad *f.* prosperity
proteger to protect
providencial providential
provisión *f.* provision, supply
próximo next; approaching
prueba *3rd sing. pres. ind. of* **probar**; trial, test; proof
pude *1st sing. pret. of* **poder**
pudiendo *pres. part. of* **poder**
pudiera *1st and 3rd sing. imperf. subj. of* **poder**
pudieran *3rd pl. imperf. subj. of* **poder**
pudimos *1st pl. pret. of* **poder**
pudo, pudieron *3rd pret. of* **poder**
pueblo people; town
pueda(n) *3rd pres. subj. of* **poder**
puede(n) *3rd pres. ind. of* **poder**
puedo *1st sing. pres. ind. of* **poder**
puerta door; gate
pues then; well; for; why; since
puesto *p. part. of* **poner**
puma *m.* mountain lion
punto point
puñal *m.* dagger
puro pure; sheer
puse *1st sing. pret. of* **poner**
pusiera *3rd sing. imperf. subj. of* **poner**
puso, pusieron *3rd pret. of* **poner**

Q

que who, which, that; for; than; *after* **el mismo** as; — **(se va)** (he's going away); **(creo)** — **sí (no)** (I think) so (not)
¿qué? what? how? **¡— . . . !** what a . . . ! **¿para —?** what for? **¿por —?** why?
quedar to remain, be left; *with participles* be; **le queda** (he) has left; **—se** to stay, remain
queja complaint
quejarse to complain
quemar, quemarse to burn
querer to want, wish, love; to be willing, will; to try; — **decir** to mean
querido dear, beloved
quetzal *m.* quetzal bird
quiché *m.* Quiché Indians (*a branch of the Mayas*)
quien who, whom; one who, anyone who
¿quién? who? whom?
quiera *3rd sing. pres. subj. of* **querer**
quiere(n) *3rd pres. ind. of* **querer**
quieres *2nd sing. pres. ind. of* **querer**
quiero *1st sing. pres. ind. of* **querer**
quieto quiet, still
quince fifteen
quinceañero fifteen-year-old, teenager
quinientos five hundred
quinto fifth
quiso, quisieron *3rd pret. of* **querer**
quitar to take away, take off; **le quita (el dinero)** he takes (the money) away from him; **se quita (el sombrero)** he takes off (his hat)
quizá, quizás perhaps

R

raíces *pl. of* **raíz**
raíz *f.* root
rama branch, limb
ranchería settlement, cluster of huts
rápido rapid, swift; fast
raro rare; curious, strange
rato while, time
rayo ray; flash; thunderbolt, bolt of lightning
raza race
razón *f.* reason; **tener —** to be right
real real; royal
realizar to realize, fulfill; to perform, carry out
reaparecer to reappear
rebaño flock

recado message
recibir to receive; to take; to welcome
recoger to pick (up), gather (up), collect
reconocer to recognize
recordar (ue) to recall; to remember
recorrer to go over, go through, go around
recuerda *3rd sing. pres. ind. of* **recordar**
recuerdo *1st sing. pres. ind. of* **recordar**; recollection; remembrance
recursos resources, means
redención *f.* redemption
referir (ie, i) to refer; to relate, tell; **—se** to refer
refinamiento refinement, improvement
refirió *3rd sing. pret. of* **referir**
regalar to give; to give away
registrar to search
regla rule
regresar to return
reina queen
reinar to reign, rule
reino kingdom
reír (i) to laugh; **—se (de)** to laugh (at)
reja bar, (ornamental) grating
relación *f.* account, story
remedio remedy, help
remordimiento remorse
renuncia resignation
reñir (i) to quarrel
repetir (i) to repeat
repitió, repitieron *3rd pret. of* **repetir**
reprender to reprimand, scold
representación *f.* representation, performance
representar to represent, show; to perform
reproche *m.* reproach
repuso *3rd sing. pret. of* **reponer**
resolver (ue) to resolve, decide; to solve
resoplar to snort
respeto respect
respirar to breathe
responder to reply
resto rest, remainder
resuelto *p. part. of* **resolver**
resuelven *3rd pl. pres. ind. of* **resolver**
resuello breath, breathing
resultado result
resultar to turn out, prove to be
retirar, retirarse to withdraw, retire; to move back; to leave
reunir to gather, bring together
revelar to reveal, disclose
revista magazine
revolucionario revolutionary, revolutionist
rey *m.* king, sovereign
rezar to pray, say (*prayers*)
rico rich, wealthy
ridículo ridiculous
ríe(n) *3rd pres. ind. of* **reír**
riendo *pres. part. of* **reír**
rígido stiff
riñeron *3rd pl. pret. of* **reñir**
río river
rió *3rd sing. pret. of* **reír**
riqueza wealth
risa(s) laughter
robar to rob, steal
robo theft
robusto robust, vigorous, strong
roca rock
rodar to roll
rodear to surround
roer to gnaw
rogar (ue) to ask; to beg
rojo red
romper, romperse to break; to tear
ropa clothes, clothing
rostro countenance, face
roto *p. part. of* **romper**
rubio blond
rueda wheel
ruega *3rd sing. pres. ind. of* **rogar**
ruego *1st sing. pres. ind. of* **rogar**
ruido noise, sound
rumbero pathfinder, guide

rumbo way, route
ruta route

S

sábado Saturday
saber to know; to know how; to find out; **no lo sé** I don't know; **sabe (cantar)** he can (sing)
sabio learned, wise; wise man
sacar to take out, get out, draw out; to get
sacerdote *m.* priest
sacrificar to sacrifice
sagrado sacred
sala parlor
salida way out, exit; departure, leaving
salir to go out, get out, come out; **sale el sol** the sun rises; **— (de)** to leave
saltar to leap, jump over, spring
salud *f.* health
saludar to greet
salvar to save
San Saint
sangre *f.* blood
santo holy, saintly; blessed; saint
sargento sergeant
satélite *m.* follower, henchman
satisfacer to satisfy
satisfecho *p. part. of* **satisfacer**
se himself, herself, yourself, itself, themselves; each other, at each other, one another; *used for* **le, les; (perder)se** to be (lost), get (lost); **se (dice)** it is (said), one (says), they (say)
sé *1st sing. pres. ind. of* **saber**
sea *3rd sing. pres. subj. of* **ser**
seco dry, thin
seguida: en seguida at once
seguir (i) to follow; to go on, keep on; **seguido de** followed by
según according to; according to what, as
segundo second
seguro sure, certain; safe, secure; **— de que** sure that
seis six
selva jungle
semana week
sembrar (ie) to plant, sow
semejante (a) similar, like; such (a)
semilla seed
sencillo simple
sendero path, trail
sentarse (ie) to sit (down); **sentado** seated, sitting
sentido sense
sentimiento sentiment
sentir (ie, i) to feel; to be sorry, regret; **—se** to feel
señal *f.* signal, sign
señalar to point out, point (to)
señor *m.* gentleman; lord; sir; Mr.
señora lady; madam; Mrs.
separar to separate, divide; **—se** to part
sepultura grave
ser to be; **es (soldado)** (he) is a (soldier); **es que** the fact is that; **qué es de** what has become of; **soy yo,** *etc.* it is I, *etc.; m.* being
serie *f.* series
serio serious, earnest
serpiente *f.* serpent, snake
servir (i) (de) to serve (as), be of use
setenta seventy
severidad *f.* severity
si if; whether
sí yes; himself
siempre always, ever
siente(n) *3rd pres. ind. of* **sentir;** *3rd pres. subj. of* **sentar**
siento *1st sing. pres. ind. of* **sentir**
sierra sierra, mountain ridge
siesta siesta, afternoon nap
siete seven
siga *3rd sing. pres. subj. of* **seguir**
siglo century
significar to mean, signify
sigue *3rd sing. pres. ind. and impera. sing. of* **seguir**
siguiendo *pres. part. of* **seguir**
siguiente following, next
siguiera *3rd sing. imperf. subj. of* **seguir**

siguió, siguieron *3rd pret. of* **seguir**
silbido whistle, whistling
silencio silence, quiet
silla chair
simbólico symbolical
simbolizar to symbolize
símbolo symbol
sin (que) without, without a
sinceridad *f.* sincerity
sino but, except; besides
sinónimo synonym
sintiendo *pres. part. of* **sentir**
sintió *3rd sing. pret. of* **sentir**
siquiera even; **ni —** not even
sirve *3rd sing. pres. ind. of* **servir**
sirvieron *3rd pl. pret. of* **servir**
sitio place, spot
sobra: de sobra more than enough
sobre on, upon; over, above; about
sobrina niece
sociedad *f.* society
sol *m.* sun, sunlight
soldado soldier
solemnidad *f.* solemnity, formality
soler (ue) to be wont, be accustomed
solitario solitary, lonely; solitaire, diamond ring
solo alone, single
sólo only, just
soltar (ue) to let go of, let loose; to release
sollozo sob
sombra shadow, shade
sombrero hat
somos *1st pl. pres. ind. of* **ser**
son *3rd pl. pres. ind. of* **ser**
sonar to sound, ring; ring out
sonido sound, ringing
sonreír (i) to smile
sonríen *3rd pl. pres. ind. of* **sonreír**
sonriendo *pres. part. of* **sonreír**
sonrió, sonrieron *3rd pret. of* **sonreír**
sonrisa smile
soñar (ue) to dream; **— con** to dream of
sopa soup
soplar to blow
soroche *m.* soroche (*mountain sickness caused by the thin air*)
sorprender to surprise
sorpresa surprise
sospecha suspicion
sostener to support, hold up; to maintain
sostiene *3rd sing. pres. ind. of* **sostener**
soy *1st sing. pres. ind. of* **ser**
su his, her, its, your, their
suave soft, gentle; smooth
subir (a) to go up, come up; to climb; to get in, get on
suceder to happen
sucesivo successive
sucio dirty
sucumbir to succumb, yield
sud *used for* **sur; sudamericano** South American
suelo ground; floor
sueña *3rd sing. pres. ind. of* **soñar**
sueño sleep; dream
suerte *f.* fate, fortune; luck
suéter *m.* sweater
sufrir to suffer; to endure, bear
sujeto individual; person
supiera *3rd sing. imperf. subj. of* **saber**
supo, supieron *3rd pret. of* **saber**
sur *m.* south
surgir to rise
suspiro sigh
suyo his, of his; **el —** his, yours

T

tabaco tobacco
taita *m.* daddy
tal such, such a
también also, too
tambo main shack (*of rubber gatherers' colony*)
tambocha (carnivorous) army ant
tampoco not . . . either
tan so, as; such (a); **— . . . como** as . . . as

tanto so much, so many; as much, as many; **mientras —** meanwhile
tapia wall
tarde late; *f.* afternoon; **buenas —s** good afternoon
te you, to you
teatro theater, auditorium
tecnología technology
techo roof, ceiling
tejedor *m.* weaver
tejer to weave
tela cloth
telar *m.* loom
teléfono telephone
tema *m.* theme, subject
temblar to tremble
temer to fear
temprano early
tendencia tendency, trend
tendrán *3rd pl. fut. of* **tener**
tendría(n) *3rd cond. of* **tener**
tener to have; **— que** to have to; **— (mucho) que hacer** to have (a lot) to do
tengo *1st sing. pres. ind. of* **tener**
tentación *f.* temptation
tercer, tercero third
terminar to end, finish
término end
terreno land
terrible fearful, terrible, awful
tesoro treasure
tía aunt
tiempo time; weather
tienda shop, store
tiene(n) *3rd pres. ind. of* **tener**
tierra earth, ground, land; region
tigre *m.* tiger
tío uncle
típico typical
tipo type, kind
tirar to throw; to shoot
tiro shot
título title
tocado headdress
tocar to touch; to play
todavía still, yet
todo all, every; everything; *pl.* everyone; **sobre —** especially; **— el (día)** all (day); **—s (nosotros)** all of (us); **—s los (días)** every (day)
tomar to take; to drink
tomate *m.* tomato
tonto foolish, silly; fool
torre *f.* tower
torrecilla *dim. of* torre
tortuoso winding, twisting
trabajar to work
trabajo work
traer to bring; to wear
trago drink (*of liquor*)
traiga(n) *3rd pres. subj. of* **traer**
traigo *1st sing. pres. ind. of* **traer**
traje *1st sing. pret. of* **traer**; *m.* suit, clothes
trajo, trajeron *3rd pret. of* **traer**
tranquilidad *f.* tranquility; calmness, quietness
tranquilo calm, quiet
transformar to transform, change
transportar to transport, move
transportes *m. pl.* hauling, trucking
tras (de) behind, after
tratar to treat; **— de** to try to; **—se de** to be a question of
través: a través de across, through; throughout
trece thirteen
treinta thirty
tren *m.* train
tres three
tribu *m.* tribe
Trinidad *f.* Holy Trinity
tripas tripe, insides
triste sad
triunfo triumph
tronco trunk
tropas troops
tropezar con to run into
trópico tropics
trotar to trot, ride
tu your
tú you
tumba tomb
tuve *1st sing. pret. of* **tener**

tuviesen *3rd pl. imperf. subj. of* **tener**
tuvo, tuvieron *3rd pret. of* **tener**
tuyo yours, of yours

U

último last, latest; latter; **por —** finally
un, una a, an; one; *pl.* some
único only, sole; single; **únicamente** only
uniformidad *f.* uniformity, sameness
unir to unite, join; **—se a** to join
uno one; *pl.* some
urbanidad *f.* etiquette
usar to use; wear
usté = **usted**
usted you

V

va *3rd sing. pres. ind. of* **ir**
vaca cow
vacaciones *f. pl.* vacation
vacilar (en) to hesitate (to)
vacío empty
vagar to roam, wander
vago vague
valer to be worth
valiente valiant, brave
valor *m.* value; courage
valle *m.* valley
vamos *1st pl. pres. ind. of* **ir**
van *3rd pl. pres. ind. of* **ir**
vanguardia vanguard, advance guard
vanidad *f.* vanity
vano vain; useless; **en —** useless
vara staff
vario various; *pl.* several
vas *2nd sing. pres. ind. of* **ir**
vasallo subject, vassal
vaso glass
vaya *3rd sing. pres. subj. of* **ir**
vayas *2nd sing. pres. subj. of* **ir**
ve *impera. sing. of* **ir**
vea *3rd sing. pres. subj. of* **ver**
veces *pl. of* **vez**
vecino neighboring, nearby; neighbor
vehículo vehicle
veían *3rd pl. imperf. of* **ver**
veinte twenty
veinti(cuatro) twenty-(four)
vela candle
velo veil
vena vein
venado deer
vencer to conquer, overcome, defeat; to win
vender to sell
vendrán *3rd pl. fut. of* **venir**
vendrían *3rd pl. cond. of* **venir**
venerado revered
venga *3rd sing. pres. subj. of* **venir**
venganza vengeance
vengarse de to get even with, get revenge on
vengo *1st sing. pres. ind. of* **venir**
venir (i) to come
ventana window
ventanilla (train) window
ver to see; **a —** let's see
verano summer
veras: de veras really
verdad *f.* truth; **(es) —** (it's) true, (that's) true, (it's) so; **¿—?** isn't it? isn't it so?
verdadero true, real
verde green
vertical vertical, straight up
vestido dress
vestir (i), vestirse to dress; **vestido de** dressed in
veta vein, lode
vez *f.* time; **a la —** at the same time; **a veces** at times; **algunas veces** sometimes; **de — en cuando** from time to time; **en — de** instead of; **otra —** again; **tal —** perhaps; **una —** once
viaje *m.* trip, journey; **compañero de —** traveling companion
viajero traveler; passenger
vicuña vicuña (*fine fur from Andean animal of the same name*);

Vicuña member of the Vicuña Party
vida life
vieja old; old woman
viejísimo very old
viejo old; old man
viene(n) *3rd pres. ind. of* **venir**
viento wind
viese(n) *3rd imperf. subj. of* **ver**
vigilancia vigilance, watchfulness
vine *1st sing. pret. of* **venir**
vinieron *3rd pl. pret. of* **venir**
vino *3rd sing. pret. of* **venir**; wine
vió *3rd sing. pret. of* **ver**
virrey *m.* viceroy
virtud *f.* virtue
visita visit, trip; visitor
visitar to visit, call on
vista sight; view
viste(n) *3rd pres. ind. of* **vestir**
visto *p. part. of* **ver**
vivir to live; to dwell
vivo alive; lively, vivacious; intense, bright
volar (ue) to fly
volcán *m.* volcano
voluntad *f.* will
volver (ue) to turn; to return, go back, come back; **— a (llamar)** to (call) again; **—se** to turn, turn around; **—se loco** to go crazy
vosotros you
voy *1st sing. pres. ind. of* **ir**
voz *f.* voice; cry
vuela(n) *3rd pres. ind. of* **volar**
vuelta turn, return; **dar la — a** to go around
vuelva *3rd sing. pres. subj. of* **volver**
vuelve(n) *3rd pres. ind. of* **volver**

Y

y and; **(hombre tímido) — (pequeño)** (small, timid man)
ya already; now; **— no** no longer
yanqui Yankee; American
yo I

Z

zapato shoe

VOCABULARIO INGLÉS-ESPAÑOL

A

a, an un, una
able: to be able poder
about de
above arriba
accept aceptar
accompany acompañar
account: on account of por
accustom acostumbrar
after después de
afternoon (la) tarde
agent (el) agente
all todo, todos; **— (night)** toda (la noche)
allow permitir
almost casi
alone solo
already ya
also también
always siempre
America América
and y
animal (el) animal
another otro
answer contestar
any cualquier
appear aparecer
arrive llegar
as como; **— (bad) —** tan (malo) como
ask preguntar
at a
auto auto, (el) automóvil
Aztec (el) azteca

B

bad malo
be ser, estar; **is (sold)** se (vende); **it has been (two weeks) since** hace (dos semanas) que
beautiful bello, hermoso
because porque
become hacerse, ponerse
begin empezar (ie)
below debajo de
besides además
better mejor
big gran, grande
black negro
blue azul
born: to be born nacer
boy muchacho
breathe respirar
bring traer
brother hermano
build construir
building edificio
burn quemarse
but pero
buy comprar
by por

C

café (el) café
call llamar
can poder
care: take care cuidar
cause causa
cell celda
center centro
change cambiar
children hijos
Christmas (la) Navidad
church (la) iglesia
city (la) ciudad
clothes ropa
cold frío

Columbus Colón
come venir, llegar; **— back** volver (ue); **— in** entrar (en)
complain quejarse
constant constante
country (el) país, patria
course: of course desde luego
cow vaca
cross cruzar; (la) cruz
cry llorar; grito

D

danger peligro
dark obscuro
daughter hija
day (el) día
decide decidir
devil diablo
die morir (ue, u)
different diferente
difficult difícil
discover descubrir
do hacer
don't no
door puerta
dream soñar (ue); **sueño**
dress vestido

E

early temprano
eat comer
eighteen hundred mil ochocientos
emperor (el) emperador
end (el) fin
Europe Europa
every todo; **—** **(day)** todos los (días)
everybody todo el mundo
everything todo

F

fall caer
famous famoso
far away lejos
father (el) padre
fear miedo
feel sentirse (ie, i)
few, a few pocos
fight pelear
filled (with) lleno (de)
finally al fin
find hallar, encontrar (ue)
fine buen, bueno
finish terminar
first primero
five cinco
flower (la) flor
for por, para; pues
foreman (el) capataz
four cuatro
freedom (la) libertad
friar (el) fraile
friend amigo
from de, desde
fruit fruta
full lleno

G

garden (el) jardín
get obtener; **— on** subir (a); **— out** salir (de)
girl muchacha, (la) joven
go ir; asistir a; **(you) are going to** va a; **— back** volver (ue); **— into** entrar en; **— out** salir; **— up** subir (a)
god (el) dios
gold oro
good buen, bueno
good-by adiós
government gobierno
great gran, grande; **a — deal** mucho
green verde
ground tierra

H

hacienda hacienda
happen pasar
hard difícil
have tener; haber (*auxiliary*); **— to** tener que
he él

hear oír
heat (el) calor
help ayudar; ayuda
her la; su; ella (*with prepositions*)
here aquí
herself (ella) misma
high alto
hill cerro
him le, lo; **to —** le
his su
home casa
hope esperar
horse caballo
hotel (el) hotel
hour hora
house casa
how cómo; **— many** cuántos
how! ¡qué!
however sin embargo
hundred ciento
husband marido

I

I yo
idea idea
idol ídolo
if si
ill enfermo
important importante
impossible imposible
in en
independence independencia
Indian indio
intelligent inteligente
interest interesar
into a
invite invitar
it lo; él, ella, ello; éste
its su

J

John Juan
jungle selva
just: have just acabar de

K

kill matar
kind (la) clase
king (el) rey
knock llamar
know saber; conocer

L

land tierra
large gran, grande
late tarde
law (la) ley
leave salir (de); dejar
let permitir
let's vamos a
life vida
light (la) luz
like gustar; **(I) — (it)** (me) gusta
listen escuchar
little pequeño, poco; **— daughter** hijita
live vivir
long: a long mucho
look (at) mirar; **— for** buscar; **— like** parecer
lose perder (ie)
love querer

M

magnificent magnífico
majesty (la) majestad
make hacer
man (el) hombre
many muchos
Mary María
marry, get married casarse (con)
matter importar
may poder
me me
meet conocer, encontrar(se) (ue)
midnight media noche
mine mío; mina
miner minero
minute minuto
modern moderno
moment momento
more más
morning mañana
most más
mother (la) madre

mountain montaña
movement movimiento
Mr. (el) señor
much mucho
mule mula
must deber
my mi
myself me

N

Napoleon Napoleón
near cerca de
need necesitar
never nunca
new nuevo
news noticias
next siguiente
night (la) noche
no no
not no
now ahora

O

of de
old viejo; **— man** viejo; **— woman** vieja; **(he) is (ten) years —** tiene (diez) años
on en; al
one un, uno, una
only único; sólo
order: in — to para
Orient (el) Oriente
other otro
our nuestro
over por
owner dueño

P

palace palacio
paper (el) papel
parents (los) padres
part (la) parte
party fiesta
pass pasar
patio patio
people (la) gente
person persona
Peru (el) Perú
place sitio
plaza plaza
poet (el) poeta
poor pobre; **— people** los pobres
possible posible
pray rezar
pretty bonito, lindo

Q

queen reina
quiet tranquilo

R

rain llover (ue)
reach llegar a
really de veras
red rojo
region (la) región
remember acordarse (ue) de
rest descansar
return volver (ue), regresar
revolution (la) revolución
right derecha; **be —** tener razón
river río
road camino
roast asar
room cuarto
rose rosa

S

saint santo
say decir
school escuela
sea (el) mar
see ver
seem parecer
sell vender
send enviar, mandar
several varios
she ella
ship: sailing — carabela
short corto
should deber
show mostrar (ue)

simple sencillo
sister hermana
six seis
sleep dormir (ue, u)
small pequeño
smile sonreír (i)
so tan; que sí; — **much (many)** tanto
some algún, alguno
someone alguien
something algo
sometimes a veces
soon pronto
south sur
Spain España
spend pasar
spite: in — of a pesar de
still todavía, aun, aún
stone piedra
stop detener, detenerse
story cuento, historia
street (la) calle
suffer sufrir
Sunday domingo
sure (that) seguro (de que)

T

table mesa
take llevar, tomar
talk hablar
tall alto
tell decir
temple templo
ten diez
thanks gracias
that que; aquel, aquella; ese, esa, eso
the el, la, los, las
theater teatro
their su
them les, los; ellos
then entonces
there allí; — **is (are)** hay; — **was (were)** había
they ellos
thing cosa
think pensar (ie), creer
thirty treinta; **thirty-two** treinta y dos
this este, esta; éste, ésta
those esos, aquellos
three tres
through por
time (la) vez; tiempo; **at —s** a veces
tired cansado
to a, para
today hoy
together juntos
too también; — **many** demasiados
toward hacia
town pueblo
train (el) tren
travel caminar
tree (el) árbol
tremble temblar
trip (el) viaje
try tratar de
twenty-four veinticuatro
two dos

U

ugly feo
under debajo de
us nos, nosotros

V

valley (el) valle
very muy
viceroy (el) virrey
victory victoria
view vista
visit visitar

W

wait (for) esperar
walk andar, caminar; **take a —** dar un paseo
want querer
war guerra
we nosotros
wealthy rico
wear llevar
weaver (el) tejedor
well bien; pues

what qué
when cuando
where donde; **—?** ¿dónde?
which que, el (la) cual
while rato
white blanco
who, whom que, quien, ¿quién?
why por qué; **that's —** por eso
wide ancho
wife esposa, (la) mujer
win ganar
wind viento
window ventana
wise sabio
with con; de
without sin
work trabajar; trabajo
world mundo

Y

year año
yes sí
yet todavía
you usted, tú; le, lo, la, te
young joven; **— man** (el) joven
your su, tu

ESTADOS
N
El Paso
Ciudad Juárez
Río Grande
Chihuahua
MÉXICO
Torreón
Fresnillo
Zacatecas
Limón
México
(Tenochtitlán)
Océano
Pacífico
YUCATÁN
QUICHÉ
Utatlán
(Gumarkaaj)
GUATEMALA
San Salvador
EL SALVADOR
MÉXICO
y
AMÉRICA
CENTRAL
Armand

0 100 500
Escala Millas
Océano Atlántico
Watling I.
(San Salvador)
Habana
LAS ANTILLAS
CUBA
REPÚBLICA DOMINICANA
San Juan
PUERTO RICO
Ciudad Trujillo
(Santo Domingo)
JAMAICA
HAITÍ
HONDURAS
Mar Caribe
San José
Panamá
PANAMÁ
AMÉRICA DEL SUR